ぼくらの七《なの》日《か》間《かん》戦《せん》争《そう》

❷/3

宗《そう》田《だ》 理《おさむ》・作《さく》
はしもとしん・絵《え》

角川つばさ文庫
オンデマンドブックス

目次《もくじ》

❷/3

❸/3
五日《いつか》　迎撃《げいげき》［3，4］
六日《むいか》　総攻撃《そうこうげき》
七日《なのか》　撤退《てったい》

❶/3
一日《いちにち》　宣戦布告《せんせんふこく》
二日《ふつか》　説得工作《せっとくこうさく》

登場人物紹介《とうじょうじんぶつしょうかい》

菊地英治《きくちえいじ》

1年《ねん》2組《くみ》。

ぼくらシリーズ

の主人公《しゅじんこう》。

相原《あいはら》　徹《とおる》

1年《ねん》2組《くみ》。

両親《りょうしん》は塾《じゅく》を経営《けいえい》。

柿沼《かきぬま》直樹《なおき》

同《どう》。

産婦人科医院《さんふじんかいいん》の息子《むすこ》。

安永《やすなが》　宏《ひろし》

同《どう》。

大工《だいく》の息子《むすこ》で

けんかの達人《たつじん》。

天野《あまの》司郎《しろう》

同《どう》。

スポーツアナ志望《しぼう》。

日比野《ひびの》　朗《あきら》

同《どう》。

コック長《ちょう》。

料理《りょうり》が上手《うま》い。

中尾和人《なかおかずと》

同《どう》。

塾《じゅく》に行《い》かず、抜群《ばつぐん》の秀才《しゅうさい》。

谷本《たにもと》　聡《さとる》

同《どう》。

エレクトロニクスの天才《てんさい》。

宇野秀明《うのひであき》

同《どう》。

シマリスちゃん。

電車《でんしゃ》や路線《ろせん》に詳《くわ》しい。

佐竹哲郎《さたけてつろう》

同《どう》。

弟《おとうと》の俊郎《としろう》、

愛犬《あいけん》タローとともに

仲間《なかま》を助《たす》ける。

秋元《あきもと》尚也《なおや》

同《どう》。

絵《え》の天才《てんさい》。

中山《なかやま》ひとみ

同《どう》。

水泳《すいえい》中《ちゅう》学《がく》一《いち》の

美《び》少《しょう》女《じょ》。

橋口《はしぐち》純《じゅん》子《こ》

同《どう》。

中華料理《ちゅうかりょうり》屋《や》の長女《ちょうじょ》。

堀場久美子《ほりばくみこ》

同《どう》。

スケ番《ばん》。

父《ちち》はＰＴＡ《ピーティーエー》会長《かいちょう》。

西脇由布子《にしわきゆうこ》

養護《ようご》 教《きょう》 諭《ゆ》。

明《あか》るい美人《びじん》。

瀬川卓蔵《せがわたくぞう》

浮浪者風《ふろうしゃふう》の老人《ろうじん》。

最大《さいだい》の味方《みかた》。

三日《みっか》　女《おんな》スパイ

1

午前一時《ごぜんいちじ》。

昼間《ひるま》ああいうことがあったのだから、犬《いぬ》だけに番《ばん》をさせて眠《ねむ》ってしまうのは危険《きけん》だ。不寝番《ふしんばん》をおくべきだと瀬川《せがわ》が主張《しゅちょう》した。

不寝番《ふしんばん》という言葉《ことば》を耳《みみ》にするのは、みんなはじめてだった。要《よう》するに二人《ふたり》が組《くみ》になって、二時《にじ》間交替《かんこうたい》で見《み》まわりをするということなのだ。

やっぱり、戦争《せんそう》に行《い》ってきた人《ひと》はちがう。その夜《よる》から不寝番《ふしんばん》をおくことにした。まず、九時《じ》から十一時《じゅういちじ》までは相原《あいはら》と秋元《あきもと》。十一時《じゅういちじ》から一時《いちじ》までは天野《あまの》と宇野《うの》。一時《いちじ》から三時《さんじ》までは小黒《おぐろ》と英治《えいじ》。三時《さんじ》から五時《ごじ》までは北原《きたはら》と楠《くすのき》。五時《じ》から六時《じ》までは、佐竹《さたけ》と菅原《すがわら》と番号順《ばんごうじゅん》にきめた。

午前一時《ごぜんいちじ》にたたき起《お》こされた英治《えいじ》は、小黒《おぐろ》と二人《ふたり》で、半分眠《はんぶんねむ》りながら広場《ひろば》へ出《で》た。

「草木《くさき》も眠《ねむ》る丑三《うしみ》つどきって知《し》ってるか?」

小黒《おぐろ》が言《い》った。

「知《し》らねえよ」

「午前二時《ごぜんにじ》のことさ。お化《ば》けが出《で》るんだって」

英治《えいじ》は、とたんに寝《ね》る前瀬川《まえせがわ》が話《はな》したノッペラボーの話《はなし》を思《おも》い出《だ》した。みるみる腕《うで》に鳥肌《とりはだ》が立《た》ってきた。

もし、闇《やみ》の中《なか》にそんな女《おんな》が立《た》っていたらどうしたらいいのだ。英治《えいじ》は闇《やみ》をすかして見《み》た。何《なに》も見《み》えない。

「行《い》こうぜ」

小黒《おぐろ》は、タローの首《くび》ひもを持《も》って言《い》った。

「うん」

小黒《おぐろ》が歩《ある》き出《だ》したが、英治《えいじ》は足《あし》が進《すす》まない。お化《ば》けなんか出《で》るものか。それに、小黒《おぐろ》とタローがいるじゃないか。

英治《えいじ》は、自分《じぶん》に言《い》い聞《き》かせた。

ほんとうは、大声《おおごえ》で歌《うた》でも歌《うた》いたいところだが、それは厳禁《げんきん》されているので、懐中電灯《かいちゅうでんとう》で前方《ぜんぽう》を照《て》らしながら黙々《もくもく》と歩《ある》く。手《て》には鉄《てつ》パイプを持《も》ち、首《くび》からは非常用《ひじょうよう》の笛《ふえ》をぶら下《さ》げている。

もし敵《てき》が攻《せ》めてきたら、非常用《ひじょうよう》の笛《ふえ》を吹《ふ》くと同時《どうじ》に、一人《ひとり》はみんなに報《しら》せに走《はし》り、残《のこ》る一人《ひとり》はタローといっしょに戦《たたか》うということになっている。二人《ふたり》の間《あいだ》で、残《のこ》るのは英治《えいじ》ときめた。

――どうか攻《せ》めてきませんように。

英治《えいじ》は、空《そら》を仰《あお》いで祈《いの》った。こんやの空《そら》には星《ほし》がまったくない。

「菊地《きくち》」

小黒《おぐろ》が声《こえ》を殺《ころ》して言《い》った。英治《えいじ》は小黒《おぐろ》の方《ほう》に視《し》線《せん》を向《む》けたが、顔《かお》は暗《くら》くて見《み》えない。

「おれたち、こんなことやったら退学《たいがく》になるかな?」

「退学《たいがく》にはならねえさ。義務《ぎむ》教育《きょういく》だもん」

「だけど、セン公《こう》って執念深《しゅうねんぶか》いから、きっと復《ふく》讐《しゅう》すると思《おも》うぜ」

「そうかもな」

「きっと、おれたちはマークされて、いい高校受《こうこうう》けさしてくれねえんじゃねえか？」

小黒《おぐろ》はすっかり沈《しず》んでいる。

「心配《しんぱい》なのか？」

「うん。おれんちって、おやじいねえだろう」

「そうだったよな」

「おれのおやじって、自殺《じさつ》したんだよ」

小黒《おぐろ》の父親《ちちおや》が自殺《じさつ》したというのは初耳《はつみみ》だ。英治《えいじ》は言葉《ことば》が出《で》なかった。

「役所《やくしょ》の課長補佐《かちょうほさ》だったんだけど、そこで汚職《おしょく》事件《じけん》があったとき、板《いた》ばさみになって死《し》んじゃったんだ。おかげで、えらい奴《やつ》は助《たす》かった……」

「ひでえな」

「おやじはばかだったのさ。だからおれは、東大《とうだい》に入《はい》って、おやじの仇《あだ》を討《う》ちたいんだ」

「東大《とうだい》に入《はい》ると、どうして仇《あだ》が討《う》てるんだ？」

「役所《やくしょ》ってのは、東大《とうだい》じゃなきゃだめなんだ」

「そうかなあ」

英治《えいじ》には、小黒《おぐろ》の怨念《おんねん》がいま一《ひと》つ理解《りかい》できなかった。

「お前《まえ》、それが心配《しんぱい》ならやめてもいいんだぜ。いいから、塀《へい》を乗《の》り越《こ》えて家《いえ》に帰《かえ》れよ」

「そういうつもりで言《い》ったんじゃないんだ」

小黒《おぐろ》は、しばらく黙《だま》って歩《ある》いていたが、

「ほんとのこと言《い》うと、おれ、この中学《ちゅうがく》に入《はい》ってきたときは、お前《まえ》たちみんなをばかにしてたんだ」

「どうして?」

「優秀《ゆうしゅう》な奴《やつ》は公立《こうりつ》へこねえじゃん。吉村《よしむら》だって開成《かいせい》に落《お》ちたからきたんだろう」

「そうか。だからお前《まえ》は、おれたちとつき合《あ》わなかったのか?」

「おれは、一番《いちばん》になれると思《おも》ってたんだよ。そうしたら中尾《なかお》がいたんだ。あいつ、塾《じゅく》にも行《い》かかねえ

し、勉強《べんきょう》もあんまりやってないみたいなのにどう
しても勝《か》てねえ。おれ、ショックだったよ」
「中尾《なかお》は特別《とくべつ》さ、お前《まえ》、そんなに勉強《べんきょう》やってんの
か？」
「一時前《いちじまえ》に寝《ね》たことはねえよ」
「すげえなあ。おれなんてサッカーやってるだろ
う。勉強《べんきょう》しなくちゃと思《おも》っても、すぐ眠《ねむ》くなっちゃ
うんだ」
英治《えいじ》は、母親《ははおや》の詩乃《しの》から何度《なんど》サッカーをやめろ

と言《い》われたかしれない。けれど、サッカーだけは
どうしてもやめたくないのだ。
「サッカーをとるか、勉強《べんきょう》をとるか……。おれは
勉強《べんきょう》をとったんだ」
「お前《まえ》、うちのおふくろと同《おな》じこと言《い》うなあ。じゃ、
通知表《つうちひょう》はオール５か？」
「体育《たいいく》が３だったよ。おれはトドににらまれてる
からな」
そういえば、体育《たいいく》の苦手《にがて》な小黒《おぐろ》と谷本《たにもと》は、いつ

も酒井《さかい》にしごかれている。

タローが塀《へい》の上《うえ》を見上《みあ》げて唸《うな》り声《ごえ》をあげた。英《えい》治《じ》は、ぎょっとして顔《かお》を上《あ》げた。猫《ねこ》が塀《へい》の上《うえ》にうずくまっていた。

「お前《まえ》、勉強《べんきょう》もしないで、こんなことしてていいのか?」

「おれってさ、みんなから見《み》たらいやな奴《やつ》だったと思《おも》うんだ。ところが、お前《まえ》は仲間《なかま》に入《い》れてくれた。嬉《うれ》しかったぜ」

最後《さいご》の言葉《ことば》は、聞《き》きとれぬほど小《ちい》さい声《こえ》になった。

「後悔《こうかい》してるんじゃねえのか？」

「ううん。その反対《はんたい》だ」

小黒《おぐろ》は強《つよ》く首《くび》を振《ふ》った。

「みんなでやることが、こんなに楽《たの》しいってこと、おれは知《し》らなかったんだ。このまま勉強《べんきょう》ばかりして東大《とうだい》に入《はい》ったら、大切《たいせつ》なものを忘《わす》れるところだったよ」

大切《たいせつ》なものとは何《なん》なのか、英治《えいじ》にはわからなかった。

「おれ、最後《さいご》まで頑張《がんば》るつもりだから、よろしくたのむぜ」

「こっちこそよろしく」

二人《ふたり》は自然《しぜん》に手《て》をにぎり合《あ》った。

「だけど、ちょっとこわいな」

「おれだってそうさ」

「お前《まえ》もそうか？」

「あったりまえじゃん」

英治《えいじ》は、二人《ふたり》の前《まえ》を黙々《もくもく》と歩《ある》くタローに目《め》をやった。この犬《いぬ》は、怖《こわ》さというものを知《し》らないのだろうか。

「それで安心《あんしん》したよ」

二人《ふたり》で、声《こえ》を抑《おさ》えて笑《わら》った。

クラスのだれとも、ほとんど口《くち》を利《き》いたことのない小黒《おぐろ》を、英治《えいじ》もたしかに敬遠《けいえん》していた。それが、こんなに心《こころ》の中《なか》を打《う》ち明《あ》けるとは……。英治《えいじ》は、そのことに感動《かんどう》をおぼえた。
小黒《おぐろ》も、やっぱり友《とも》だちがほしかったのだ。
――お前《まえ》って、案外《あんがい》いい奴《やつ》だったんだな。
英治《えいじ》は、口《くち》まで出《で》かかったが、照《て》れくさくて、つい言《い》いそびれてしまった。

六時四十分《ろくじよんじっぷん》。
けさの朝食《ちょうしょく》の当番《とうばん》は、立石《たていし》、中尾《なかお》、日比野《ひびの》の三人《さんにん》で、献立《こんだ》ては、目玉焼《めだまや》きにトマト一個《いっこ》。それに牛乳《ぎゅうにゅう》と乾《かん》パンということになっている。

携帯用《けいたいよう》ガスコンロにフライパンをのせ、それに中尾《なかお》がなれない手《て》つきで、卵《たまご》を二《ふた》つ割《わ》りこむ。

みんながまわりでひやかすので、半分《はんぶん》くらいは黄身《きみ》がつぶれてしまう。焼《や》くのは日比野《ひびの》だが、彼《かれ》は将来一流《しょうらいいちりゅう》ホテルのコック長《ちょう》になりたいというだけあって、あざやかな手《て》さばきで焼《や》き上《あ》げると、つぎつぎに皿《さら》に盛《も》りわけてゆく。

「おれ、トマトはかんべんしてくれよ」

宇野《うの》が言《い》うと、

「まかしとけ。おれが食《く》ってやる」

日比野《ひびの》がすかさず言《い》った。

「お前《まえ》みたいに好《す》き嫌《きら》いがあると、戦争《せんそう》に行《い》ったら真《ま》っ先《さき》に餓死《がし》するぞ」

瀬川《せがわ》が言《い》うと、ほんとうにそんな気《き》がしてくる。

そのとき、突然《とつぜん》タローが唸《うな》り声《ごえ》をたてたと思《おも》うと、正門《せいもん》に向《む》かって突進《とっしん》した。

「おい、外《そと》にだれかきたぞ」

相原《あいはら》が言《い》う間《ま》もなく、立石《たていし》が見張《みは》り台《だい》に駆《か》け上《のぼ》った。見張《みは》り台《だい》は、スチールの事務机《じむづくえ》を三《みっ》つ重《かさ》ね、四本《よんほん》の脚《あし》をパイプで固定《こてい》したものである。その上《うえ》に上《のぼ》ると、ちょうど正門《せいもん》から頭一《あたまひと》つ出《だ》せるかっこうになる。

「先生《せんせい》」

立石《たていし》が外《そと》に向《む》かって手《て》を振《ふ》った。

「だれだ？」

何人《なんにん》かが口《くち》ぐちに聞《き》いた。

「西脇先生《にしわきせんせい》だ」

西脇由布子《にしわきゆうこ》は、養護教諭《ようごきょうゆ》で、去年短大《きょねんたんだい》を出《で》たばかりである。顔《かお》の感《かん》じが薬師丸《やくしまる》ひろ子《こ》に似《に》ているので、生徒《せいと》には人気《にんき》がある。

三年生《さんねんせい》の中《なか》には、授業《じゅぎょう》を受《う》けたくないと、腹《はら》が痛《いた》いとか、頭《あたま》が痛《いた》いとか言《い》って、保健室《ほけんしつ》に入《い》りびたっている者《もの》がいる。

西脇《にしわき》に目《め》をつけているのは生徒《せいと》だけではない。体育《たいいく》の教師酒井敦《きょうしさかいあつし》もそうだ。酒井《さかい》は、数年前《すうねんまえ》この中学《ちゅうがく》が校内暴力《こうないぼうりょく》で荒《あ》れていたとき、榎本《えのもと》が用心棒《ようじんぼう》がわりにつれてきた男《おとこ》である。自称《じしょう》 柔道《じゅうどう》五段《ごだん》。人《ひと》を殺《ころ》したのは三人《さんにん》。腕《うで》の骨《ほね》や肋骨《ろっこつ》を折《お》ったのは数知《かずし》れずと豪語《ごうご》している。

人殺《ひとごろ》しが教師《きょうし》になれるわけはないのだからハッタリに決《き》まっているが、彼《かれ》の無差別暴力《むさべつぼうりょく》で、学校《がっこう》が静《しず》かになったことはたしかである。その点《てん》では、この中学《ちゅうがく》を模範校《もはんこう》にした最大《さいだい》の功労者《こうろうしゃ》だと自負《じふ》している。しかも、それを教師《きょうし》やＰＴＡ《ピーティーエー》が支《し》持《じ》するものだから、まるで暴力団《ぼうりょくだん》のようにのさばっている。

学校《がっこう》には、学校教育法第11条《がっこうきょういくほうだいじょう》というのがあり、校長及《こうちょうおよ》び教員《きょういん》は、教育上必要《きょういくじょうひつよう》があると認《みと》められるときは、監督庁《かんとくちょう》の定《さだ》めるところにより、学《がく》生及《せいおよ》び児童《じどう》に懲戒《ちょうかい》を加《くわ》えることができる。ただし、体罰《たいばつ》を加《くわ》えることはできない。ということになっているが、酒井《さかい》は、こんなものがあるということを知《し》ってか知《し》らずか、生徒《せいと》たちに暴力《ぼうりょく》の限《かぎ》りをつくしている。

その一例《いちれい》をあげてみると、ウルトラC《シー》＝口《くち》の中《なか》に汚《きたな》い雑巾《ぞうきん》をつっこみ、それをかませてしぼる。

ミンミン・バット＝柱《はしら》にせみのまねをしてしがみつかせ、ミンミンと鳴《な》かせる。からだがずり落《お》ちてくると、バットでなぐる。

チチのかたき＝おっぱいをつねる。女子生徒《じょしせいと》は悲鳴《ひめい》をあげる。

砲丸投《ほうがんな》げアッパー＝両手《りょうて》で交互《こうご》に胸《むね》を突《つ》いていき、最後《さいご》に顎《あご》の下《した》を突《つ》き上《あ》げ、壁《かべ》にたたきつける。

しりムチ＝ハタキの頭《あたま》のとれた柄《え》に、ビニールテープを巻《ま》いて補強《ほきょう》した特製《とくせい》ムチ。授業中《じゅぎょうちゅう》ふざけあったり、試験《しけん》の点数《てんすう》がわるいとこのムチが飛《と》ぶ。クラスの七割《ななわり》は、この体罰《たいばつ》の経験者《けいけんしゃ》である。

被害者《ひがいしゃ》は谷本《たにもと》以外《いがい》にもいっぱいいるのだが、学校《がっこう》もＰＴＡ《ピーティーエー》も取《と》り上《あ》げないので、これまで子《こ》どもたちは泣《な》き寝《ね》入《い》りしてきた。

その凶暴《きょうぼう》さとずんぐりした体型《たいけい》は、海《うみ》のギャング、トドにそっくりである。だからみんな、酒井《さかい》のことをトドと言《い》っている。

酒井《さかい》のことだ。解放区《かいほうく》になぐり込《こ》みをかけてくるのはわかっている。そのときこそ、袋叩《ふくろだた》きにして、二度《にど》と立《た》ち上《あ》がれないようにしてやるのだ。

酒井《さかい》は、西脇《にしわき》が中学《ちゅうがく》にやってきたときから目《め》をつけて、しつこく言《い》い寄《よ》っている。このままでは、西脇《にしわき》がいつ酒井《さかい》に貞操《ていそう》を奪《うば》われてしまうかしれないというので、三年生《さんねんせい》を中心《ちゅうしん》に、西脇先生《にしわきせんせい》の処女《しょじょ》を守《まも》る会《かい》というのが生《う》まれた。いざというときは、集団《しゅうだん》の力《ちから》で西脇先生《にしわきせんせい》を守《まも》ろうというもので、すでに会員《かいいん》は五十人《ごじゅうにん》になろうとしている。

もちろん英治《えいじ》も会員《かいいん》だ。

西脇先生《にしわきせんせい》がやってきたと聞《き》いて、英治《えいじ》は夢中《むちゅう》で見張《みは》り台《だい》に上《のぼ》った。

「みんな元気《げんき》？」

西脇《にしわき》は、赤《あか》い自転車《じてんしゃ》に乗《の》ってやってきた。淡《あわ》いブルーのT《ティー》シャツと白《しろ》のショートパンツ、見《み》つめていると、まぶしくなってくる。

「元気《げんき》でーす」

英治《えいじ》と立石《たていし》は、思《おも》いきり大声《おおごえ》で答《こた》えた。

「差《さ》し入《い》れを持《も》ってきたわよ。どうせろくなもの食《た》べてないんでしょう?」

英治《えいじ》が「差《さ》し入《い》れだぞ」とどなったとたん、みんなが塀《へい》によじのぼって顔《かお》を出《だ》した。

「みんな元気《げんき》そうね。おなか痛《いた》くした人《ひと》とか、かぜひいた人《ひと》はいない？」

「いねえよ」

いっせいに言《い》った。

「先生《せんせい》、差《さ》し入《い》れってなんすか？」

日比野《ひびの》が聞《き》いた。

「フランスパンと缶《かん》ジュース、それにアイスクリーム。そこからロープ垂《た》らして」

「わーい」

いっせいに歓声《かんせい》があがった。英治《えいじ》は、見張《みは》り台《だい》に置《お》いてあるロープを正門《せいもん》の外《そと》へ垂《た》らした。西脇《にしわき》がその先《さき》にビニール袋《ぶくろ》をしばりつけた。それを手《て》早《ばや》く引《ひ》き上《あ》げると、カップ入《い》りのアイスクリームを一個《いっこ》ずつみんなに投《な》げた。

「うめえなあ。久《ひさ》しぶりにシャバの味《あじ》がする。先《せん》生《せい》、恩《おん》に着《き》るぜ」

安永《やすなが》が言《い》った。

「先生《せんせい》たち怒《おこ》ってるわよ」

「ほんと?」

「かんかんよ」

みんなが喚声《かんせい》をあげた。

「まだ、ここから出《で》ないつもり?」

「もちろんさ」

「食《た》べものはどうしてるの?」

「そっちはバッチシ。一《いっ》か月《げつ》はもちこたえられるよ」

「古《ふる》いものを食《た》べちゃだめよ。あたるわよ」

「わかってるって」

「あなたたちが出《で》ないっていったら、無理《むり》にでも出《だ》させられるわよ」

「そのときは戦争《せんそう》さ」

「呆《あき》れた。けがしたらどうするの？」

「そのときは、先生《せんせい》が赤十字《せきじゅうじ》になってくれればいいじゃん」

「それ、本気《ほんき》で言《い》ってるの？」

「本気《ほんき》さ」

つぎつぎと、負傷者《ふしょうしゃ》が担架《たんか》で運《はこ》ばれる。それを白衣《はくい》の西脇《にしわき》がかいがいしく看護《かんご》する。そんな光景《こうけい》が、英治《えいじ》の目《め》の前《まえ》にまざまざと浮《う》かんできた。

「だれかに見《み》られるといけないから、もう帰《かえ》るわよ。じゃ、あんまり無理《むり》しないで、適当《てきとう》なところで白旗《しろはた》あげなさいよ」

西脇《にしわき》は、あたりをちょっと見《み》てから自転車《じてんしゃ》に乗《の》ると、手《て》をひらひら振《ふ》りながら行《い》ってしまった。

英治《えいじ》は胸《むね》に、ぽっかりと穴《あな》があいたような気持《きも》ちになった。

2

八時《はちじ》。

谷本《たにもと》と橋口《はしぐち》 純子《じゅんこ》からの定時連絡《ていじれんらく》がある時間《じかん》である。きょうから、迷路《めいろ》づくりの作業《さぎょう》を全員《ぜんいん》ではじめることにしたので、屋上《おくじょう》には相原《あいはら》と英治《えいじ》だけが上《のぼ》った。

すでに、河川敷《かせんしき》には谷本《たにもと》と純子《じゅんこ》がいて、こちらに向《む》かって手《て》を振《ふ》っている。

『お早《はよ》う。元気《げんき》か？　どうぞ』

谷本《たにもと》の声《こえ》がした。

「元気《げんき》だ。そちらの様子《ようす》を聞《き》かせてくれ」

『きょうのトップニュースは、テレビがそこへ取《しゅ》材《ざい》にやってくることだ』

「OK《オーケー》、何時《なんじ》にやってくる？」

『昼《ひる》だ』

「セン公《こう》たち、そのこと知《し》ってるのか？」

『知《し》ってるさ。テレビ局《きょく》から問《と》い合《あ》わせがあったもん』

「あせってるか？」

『あせってるよ。だからその前《まえ》にトドがやってくるぞ』

「待《ま》ってましただ」

『トドはこう言《い》ってたってよ。テレビがくる前《まえ》に、自分一人《じぶんひとり》で片《かた》づけるから安心《あんしん》してくれって』

「笑《わら》わせるぜ。ここは学校《がっこう》じゃねえ、解放区《かいほうく》なんだ。そのつもりでこいってんだ」

『谷本君《たにもとくん》をこんなにしたオトシマエをつけてやりなよ』

純子《じゅんこ》が言《い》った。

「ああやってやるぜ。トドがくるときに、みんなも呼《よ》んどいてくれよ」

『了解《りょうかい》』

「それから、こんや九時《くじ》に学校《がっこう》の隣《となり》の児童公園《じどうこうえん》にきて、ブランコのそばで待《ま》っていてくんねえか」

『そんなところへ何《なに》しに行《い》くの？』

「いいから、くればわかる」

『じゃあ、久美子《くみこ》と二人《ふたり》で行《い》くよ』

「了解《りょうかい》。柿沼《かきぬま》の手紙《てがみ》はまだ着《つ》かねえか？」

『まだよ。着《つ》いたら知《し》らせるよ』

「待《ま》ってるぜ。じゃあな」

相原《あいはら》と英治《えいじ》は屋上《おくじょう》から降《お》りた。

広場《ひろば》では、中尾《なかお》が書《か》いた設計図《せっけいず》をもとに、鉄《てつ》パイプの組《く》み立《た》てがはじまっていた。鉄《てっ》パイプと波《なみ》型《がた》トタンは、工場《こうじょう》の隅《すみ》にうず高《たか》く積《つ》まれてあったので、迷路《めいろ》づくりの材料《ざいりょう》にはこと欠《か》かなかった。

「みんな、ちょっと聞《き》いてくれよ」

相原《あいはら》が呼《よ》びかけると、作業《さぎょう》を中断《ちゅうだん》してまわりに集《あっ》まってきた。

「いまの連絡《れんらく》でわかったことを報告《ほうこく》するぜ。一《いち》、柿沼《かきぬま》の手紙《てがみ》はまだ届《とど》かない。これは、時間《じかん》が早《はや》いからしかたないと思《おも》う。第二《だいに》、きょうの昼《ひる》ごろ、テレビが取材《しゅざい》にやってくる」

わあッという喚声《かんせい》が湧《わ》き起《お》こった。

「第三《だいさん》、テレビがやってくる前《まえ》に、トドが襲撃《しゅうげき》してくる」

トドと聞《き》いて、みんなの顔《かお》が緊張《きんちょう》した。

「といってもびびることはない。ここは学校《がっこう》じゃなくて、おれたちの解放区《かいほうく》なんだ」

「あいつには、だいぶかわいがってもらってるからな。きょうはたっぷりオトシマエをつけさせてもらうぜ」

安永《やすなが》も純子《じゅんこ》と同《おな》じことを言《い》う。二人《ふたり》とも酒井《さかい》には、何度《なんど》も焼《や》きを入《い》れられているからだ。

「ここで、トドを袋叩《ふくろだた》きしたらまずいぜ」

「どうして？」

「ポリ公《こう》を呼《よ》ぶいい口実《こうじつ》になるじゃんか」

「汚《きた》ねえな」

安永《やすなが》は舌打《したう》ちした。

「汚《きた》ねえのはわかってるさ。だから、奴《やつ》らの裏《うら》をかけばいいのさ」

「どうやって？」

「トドをからかって、テレビで放映《ほうえい》させるのさ」

「わかんねえ」

安永《やすなが》は首《くび》をひねった。

「問題《もんだい》を出《だ》して答《こた》えさせるんだ。八十点以上《はちじゅってんいじょう》だったら、合格《ごうかく》だから中《なか》へ入《い》れてやる。それ以下《いか》だったら不合格《ふごうかく》といや乗《の》ってくるだろう」

「セン公《こう》を試験《しけん》するのか。そいつはおもしれえや」

安永《やすなが》は、すっかり上機嫌《じょうきげん》になった。

「問題《もんだい》は十問《じゅうもん》だ。みんなで考《かんが》えようじゃねえか」

「はあい」

宇野《うの》が手《て》を挙《あ》げた。

「なんだ？」

「できたぞ。こういうのはどうだ？　駅《えき》の名前《なまえ》を言《い》わせるんだよ。室蘭本線《むろらんほんせん》とか、鹿児島本線《かごしまほんせん》とか。たとえば、鹿児島《かごしま》から川内《せんだい》まで言《い》ってみろとかね」

「お前《まえ》言《い》えるのか？」

安永《やすなが》が聞《き》いた。

「ああ言《い》えるよ。かごしまちゅうおう、かみいじゅういん、さつままつもと、いじゅういん、ひがしいちき、ゆのもと、いちき、くしきの、こばんちゃや、くまのじょう、せんだい」

宇野《うの》は、まるでお経《きょう》でも唱《とな》えるみたいに一気《いっき》に言《い》った。

「すげえなあ。どのくらい知《し》ってんだ?」

安永《やすなが》は、呆《あき》れたように宇野《うの》の顔《かお》を見《み》つめた。

「大《たい》したことはない。主要幹線《しゅようかんせん》だけだ」

「それにしたってすげえよ。これなら、トドに絶《ぜっ》対勝《たいか》てるぜ」

「これは社会科《しゃかいか》だな。奴《やつ》は体育《たいいく》だから、そっちの問題《もんだい》を出《だ》してやろうよ。何《なん》かねえか」

相原《あいはら》が順《じゅん》に顔《かお》を見《み》まわすと、天野《あまの》がゆっくりと手《て》を挙《あ》げた。

「体育《たいいく》なら、おれにまかせてくれ。いいか、出《だ》すぞ。猪木《いのき》VS《バーサス》アリの格闘技世界一決定戦《かくとうぎせかいいちけっていせん》はどこで行《おこな》われたか？」

「日本武道館《にっぽんぶどうかん》」

英治《えいじ》が答《こた》えた。

「よし。では、そのとき何人《なんにん》の観客《かんきゃく》が入《はい》ったか？」

「知《し》らねえ」

「一万四千人《いちまんよんせんにん》。そのときの特別《とくべつ》リングサイドはいくらだったたか？」

「そんなこと知《し》ってる奴《やつ》いるのか」

「三十万円《さんじゅうまんえん》さ」

「ええッ、ほんとか？」

「ほんとさ。プロレスのことなら、なんでもおれに聞《き》いてくれ」

天野《あまの》は胸《むね》をそらせた。解放区放送《かいほうくほうそう》のテーマ曲《きょく》に、〝炎《ほのお》のファイター〟が絶対《ぜったい》いいと言《い》って、テープを持《も》ってきて聞《き》かせたのも天野《あまの》である。

天野《あまの》は、プロレス中継《ちゅうけい》は必《かなら》ずビデオで採録《さいろく》し、それを何度《なんど》も見《み》ては、過激《かげき》なアナウンサーの口《く》調《ちょう》をすっかり覚《おぼ》えてしまったくらいだから信用《しんよう》できる。

「よし、これもいただきだ。この調子《ちょうし》でいったら、問題《もんだい》の十《じゅう》くらいはすぐできるな」

相原《あいはら》は、満足《まんぞく》そうに何度《なんど》もうなずいた。

九時《くじ》に、正門《せいもん》の外《そと》でどなる酒井《さかい》の声《こえ》が聞《き》こえた。

「あいつ、まるで豪傑《ごうけつ》みたいにかっこつけやがって」

ちょうど、迷路《めいろ》づくりの作業《さぎょう》も休憩《きゅうけい》したいところだったので、みんなでトドをからかおうということになった。

安永《やすなが》、宇野《うの》、立石《たていし》の三人《さんにん》が正門《せいもん》の見張《みは》り台《だい》に上《のぼ》り、あとは二階《にかい》へ行《い》くということになった。

「いいか、絶対手出《ぜったいてだ》しするなよ」

相原《あいはら》は、安永《やすなが》にそう言《い》いおいて二階《にかい》へ上《のぼ》った。

「おーす」

全員《ぜんいん》が顔《かお》を出《だ》して叫《さけ》んだ。

「おーす。お前《まえ》たち、もうやるだけやったんだから出《で》てこい。いまなら校長先生《こうちょうせんせい》にとりなしてやるから、罰《ばっ》せられんですむぞ」

酒井《さかい》が、柄《がら》にもなく猫撫《ねこな》で声《ごえ》を出《だ》したので、みんないっせいに笑《わら》い出《だ》した。

「なにがおかしいッ」

酒井《さかい》は、顔《かお》を真《ま》っ赤《か》にしてどなった。

「ほら、トドが本性《ほんしょう》を出《だ》したぞ。もっとおこれ、おこれ」

「なめるんじゃないッ」

「そんな顔《かお》、犬《いぬ》だってなめねえよ。ゴキブリなら知《し》らねえけど」

また、みんなで笑《わら》った。

「このクソガキめ、言《い》わしておけばいい気《き》になりやがって」

「教師《きょうし》だろう。もっと上品《じょうひん》な言葉《ことば》がつかえねえのか?」

「出《で》てこい。おれがひねりつぶしてやるから」

「出《で》てこいって言《い》われて、出《で》て行《い》くあほうがいるかよ。だからトドは脳細胞《のうさいぼう》が足《た》りねえって言《い》われるんだよ」

「だれだ、そんなこと言《い》う奴《やつ》は？」

「校長《こうちょう》だって教頭《きょうとう》だって、セン公《こう》はみんな言《い》ってら」

「うそだ。おれは、お前《まえ》たちを立派《りっぱ》な人間《にんげん》にしたい。ただそれだけを思《おも》ってしごいているんだ。おれには私心《ししん》はひとかけらもない。このおれの真情《しんじょう》が、お前《まえ》らにはどうしてわからないんだ」

「その、正義《せいぎ》の味方《みかた》ってのが困《こま》るんだよな」

「どうして正義《せいぎ》がいかんのだ？　理由《りゆう》を言《い》え」

「だから単細胞《たんさいぼう》だっていうのさ」

「単細胞《たんさいぼう》なら単細胞《たんさいぼう》でいいから、とにかく出《で》てこい」

「出《で》てってもいいけど、そのかわりこっちにも条件《じょうけん》がある」

相原《あいはら》が冷静《れいせい》な声《こえ》で言《い》った。

「なんだ、聞《き》こうじゃないか」

酒井《さかい》は、やっと普通《ふつう》の声《こえ》にもどった。

「きょうの昼《ひる》、テレビがここに取材《しゅざい》にやってくる」

「どうして、そんなことを知《し》ってるんだ？」

まるで、岸《きし》に打《う》ち揚《あ》げられたトドみたいに、びっくりした顔《かお》をした。

「おれたちには、なんでもお見通《みとお》しさ。そこで、おれたちは問題《もんだい》を出《だ》すから、それに答《こた》えろ。十問《じゅうもん》中八問《ちゅうはちもん》が正解《せいかい》だったら、おれたちはここを出《で》る」

「もしできなかったら？」

「そこで一人《ひとり》プロレスをやれ」

「一人《ひとり》でプロレスなんてできん」

「できるさ。こっちには実況《じっきょう》アナウンサーのいいのがいる。アナウンスどおりに動《うご》けばいいんだ。どうだ、この勝負《しょうぶ》、頭《あたま》に自信《じしん》がなくてやれねえか。やれねえんならやらなくてもいいよ。無理《むり》して恥《はじ》かくことねえもんな」

酒井《さかい》は、腕《うで》を組《く》んで空《そら》をにらんだ。

「よし、受《う》けて立《た》とうじゃないか。そのかわり、おれが勝《か》ったら必《かなら》ず出《で》てくると約束《やくそく》するな？」

「子《こ》どもはうそをつかねえよ」

「わかった。では、後刻《ごこく》また参《まい》る」

トドは、肩《かた》をいからして帰《かえ》って行《い》った。

「ヤッホー。おれに過激《かげき》なアナウンスをさせてくれるとは。相原《あいはら》、恩《おん》に着《き》るぜ」

天野《あまの》は、飛《と》び上《あ》がって喜《よろこ》んだ。

「トドをうまく乗《の》せたな。だけど、一人《ひとり》プロレスってなんだ？」

中尾《なかお》が聞《き》いた。

「一人《ひとり》で二役《ふたやく》やるのさ」

「へえ……。わかんねえな」

「天野《あまの》、だれとやらせる？」

「もちろん、アントニオ猪木《いのき》さ。トドが猪木《いのき》にこてんぱんにやられるところを、おれの尊敬《そんけい》する古《ふる》舘《たち》アナより過激《かげき》にやってみせるぜ」

「テレビ中継《ちゅうけい》だからな」

「感激《かんげき》だぜ。プロレスのテレビ中継《ちゅうけい》は、おれの一生《いっしょう》の夢《ゆめ》だったんだ」
――こいつもプロだなあ。
英治《えいじ》は、尊敬《そんけい》にも似《に》た思《おも》いで、あらためて天野《あまの》を見直《みなお》した。

3

午前十一時《ごぜんじゅういちじ》になると、気温《きおん》は、とっくに三十《さんじゅう》度《ど》をこしたと思《おも》われる暑《あつ》さになった。

作業《さぎょう》をしていると、汗《あせ》はひっきりなしに出《で》て、喉《のど》が渇《かわ》いてしかたない。ほんとうなら、消火栓《しょうかせん》に口《くち》をつけて、ごくごく飲《の》みたいところだが、水《みず》は沸《わ》かして飲《の》めと瀬川《せがわ》が言《い》う。

先生《せんせい》に言《い》われると、いちいち反発《はんぱつ》したくなるのに、瀬川《せがわ》の言《い》うことは素直《すなお》に聞《き》けるのが不思議《ふしぎ》だった。

やかんは、英治《えいじ》が家《いえ》に捨《す》ててあったのを持《も》ってきたものだが、朝《あさ》から何度《なんど》沸《わ》かしてもすぐなくなってしまう。

「テレビ中継車《ちゅうけいしゃ》がやってきたぞ」

見張《みは》り台《だい》の菅原《すがわら》が大声《おおごえ》でどなった。

「天野《あまの》、いよいよだぞ」

英治《えいじ》は、天野《あまの》の肩《かた》をたたいた。

「ブタがブタをぶったら、ぶたれたブタがぶったブタをぶったので、ぶったブタとぶたれたブタがぶったおれた」

天野《あまの》は、早口《はやくち》のトレーニングに夢中《むちゅう》で、英治《えいじ》の言葉《ことば》は聞《き》こえなかったようだ。

「おーい」

屋上《おくじょう》の非常階段《ひじょうかいだん》から小黒《おぐろ》がどなった。

「谷本《たにもと》からボールだ。そこへ投《な》げるぜ」

「OK《オーケー》」

相原《あいはら》がかまえた。小黒《おぐろ》はボールを投《な》げた。見事《みごと》
に手《て》の中《なか》に入《はい》った。

「ナイスキャッチ」

相原《あいはら》のまわりに、みんなが集《あつ》まった。

白《しろ》のガムテープがしっかりと巻《ま》きつけられている。それをとるとハンカチになり、その下《した》から手《て》紙《がみ》のコピーがあらわれた。芯《しん》にはゴルフボールが入《い》れてある。

相原《あいはら》は、もどかしそうに手紙《てがみ》のコピーをひろげた。

はいけいおとう　さんおかあさんごきげんいかがで　すかぼくがゆうかいされてき　っとし

んぱいしてい　ることとおもいますけれ　どと
てもしんせつにしてもらって　いるのでご　あ
んしんくださいただしおかね　を一七〇〇《せんななひゃく》まん
えんはら　っ　てくださいこのやくそくだけは
きちんと　ま　もってもらわないとぼくのいの
ち　はなくなりますこれはほ　んとうです

「なんだこの手紙《てがみ》。小学校一年《しょうがっこういちねん》だぜ。柿沼《かきぬま》の奴《やつ》、
おっかなくて漢字《かんじ》をみんな忘《わす》れちゃったんじゃね

えのか」

安永《やすなが》が呆《あき》れたように言《い》った。

「それは簡単《かんたん》な暗号《あんごう》さ。わざとこういうふうに書《か》いたんだ」

中尾《なかお》は、ちょっと貸《か》してくれと言《い》って、手紙《てがみ》を手《て》にした。字数《じすう》を数《かぞ》えて、手帳《てちょう》に何《なに》か書《か》いていたが、

「柿沼《かきぬま》はこう言《い》っている。ごみ、公園《こうえん》、からおけ」

「どこにそんなことが書《か》いてあるんだ?」

安永《やすなが》は、とても納得《なっとく》できないという顔《かお》をしている。

「いいか。これは字《じ》と字《じ》のあきまでの字数《じすう》を数《かぞ》えればいいんだ。最初《さいしょ》のはいけいおとうは七字《ななじ》だ。アルファベットの七字目《ななじめ》はG《ジー》。そうやってアルファベットをあてはめていくと、GOMI《ゴミ》 KOEN《コーエン》 KARAOKE《カラオケ》となるんだ」

「そうか、言《い》われてみりゃ簡単《かんたん》だけど、わざと字《じ》の間《あいだ》をあけたことに気《き》づかなけりゃわかんねえな」

「だから柿沼《かきぬま》は、子《こ》どもっぽく書《か》いたのさ」

「さすが、秀才《しゅうさい》はちがうな」

安永《やすなが》はしきりに感心《かんしん》した。

「そうじゃないさ。こういう遊《あそ》びを柿沼《かきぬま》とよくやっていたんだ」

「それはいいとして、ごみ、公園《こうえん》、からおけってなんのことだ？　思《おも》いつくことあるか？」

相原《あいはら》は、中尾《なかお》の顔《かお》を見《み》つめた。

「ないね」

中尾《なかお》が首《くび》を振《ふ》ると、しばらく沈黙《ちんもく》がつづいた。

「こういうことは考《かんが》えられねえか？」

英治《えいじ》は、さして自信《じしん》がなかったので、おずおずと口《くち》を開《ひら》いた。

「誘拐犯人《ゆうかいはんにん》ってのは、大抵《たいてい》人質《ひとじち》を人目《ひとめ》につかないところに監禁《かんきん》するもんだろう」

「そりゃそうさ」

みんな、当《あ》たり前《まえ》のこと言《い》うなという目《め》で英治《えいじ》を見《み》ている。

「からおけというのは、柿沼《かきぬま》が監禁《かんきん》されている部《へ》屋《や》に、カラオケで歌《うた》っている声《こえ》が聞《き》こえてきたんじゃねえかと思《おも》うんだ」

「そうか……。菊地《きくち》、お前《まえ》すごいな」

中尾《なかお》が感心《かんしん》したので、英治《えいじ》は顔《かお》が熱《あつ》くなった。

「公園《こうえん》というのは、児童公園《じどうこうえん》か何《なん》かで、子《こ》どもたちの騒《さわ》ぐ声《こえ》が聞《き》こえてきたんじゃないのか……」

「そうだよ。きっとそうだ。じゃ、最後《さいご》のごみは?」

「それがわかんねえんだよ。部《へ》屋《や》の中《なか》がごみだらけというのも変《へん》だしな」

「ごみというのは、こうじゃねえのか……」

小黒《おぐろ》が言《い》った。英治《えいじ》は小黒《おぐろ》の口《くち》もとを見《み》つめた。

「監禁《かんきん》された部屋《へや》から、ごみ処理場《しょりじょう》の建物《たてもの》か煙突《えんとつ》か、何《なん》かが見《み》えたんだ」

「清掃工場《せいそうこうじょう》か……。そうかもしれねえな」

英治《えいじ》は中尾《なかお》の顔《かお》を見《み》た。中尾《なかお》は「うん」とうなずいた。

「すると、こういうことになる。柿沼《かきぬま》の監禁《かんきん》されている場所《ばしょ》は、ごみ処理場《しょりじょう》が見《み》え、すぐ近《ちか》くに公《こう》園《えん》がある。そのうえ、カラオケが聞《き》こえてくるんだから繁華街《はんかがい》だ」

「そこまでわかれば、だいぶ範囲《はんい》がしぼられたじゃねえか」

吉村《よしむら》が言《い》った。みんなの表情《ひょうじょう》も急《きゅう》に明《あか》るくなった。

「よし、柿沼《かきぬま》を見《み》つけるのは、外《そと》の連中《れんちゅう》にまかせよう。いまから解放区放送《かいほうくほうそう》をやるぞ」

外《そと》への緊急連絡《きんきゅうれんらく》は、外《そと》からと同《おな》じように、解《かい》放区放送《ほうくほうそう》でドラえもんのテーマ曲《きょく》を流《なが》すことになっている。これを聞《き》けば、すぐトランシーバーで連絡《れんらく》してくるのだ。

相原《あいはら》と英治《えいじ》と日比野《ひびの》の三人《さんにん》は、FM発信機《エフエムはっしんき》の置《お》いてあるビルの四階《よんかい》に上《のぼ》った。

「スイッチ・オン」

英治《えいじ》は、日比野《ひびの》にキューを出《だ》した。日比野《ひびの》はテープレコーダーのスイッチを押《お》した。

〽こんなこといいな　できたらいいな
あんな夢《ゆめ》　こんな夢《ゆめ》　いっぱいあるけど
この曲《きょく》を聞《き》いていると、ほんとうにドラえもん
になれたらいいと思《おも》う。
英治《えいじ》は、相原《あいはら》にキューを出《だ》した。
「こちらは解放区《かいほうく》放送《ほうそう》。みんな元気《げんき》にやってる
か？　西瓜《すいか》食《た》べすぎて腹《はら》をこわすなよ。といって
もここにはない。ああ、西瓜《すいか》が食《く》いたくなった。
ところで、いまから臨時《りんじ》ニュースを言《い》うから、よ

く聞《き》いてくれよ。きょうのお昼《ひる》、テレビ局《きょく》が解放《かいほう》区《く》に取材《しゅざい》にやってくる。そのとき、トドとの対決《たいけつ》を実況《じっきょう》放送《ほうそう》するからな。解放区《かいほうく》にこれない君《きみ》は、ぜひ新日本《しんにほん》テレビにチャンネルを合《あ》わせてくれ。じゃあな」

相原《あいはら》はスイッチを切《き》ると、

「屋上《おくじょう》へ上《のぼ》ろう」と二人《ふたり》に言《い》った。非常《ひじょう》階段《かいだん》は、陽射《ひざ》しをまともにうけて、手摺《てすり》をにぎると熱《あつ》かった。

屋上《おくじょう》まで一気《いっき》に駆《か》け上《あ》がった三人《さんにん》は、道路《どうろ》を見《み》おろした。正門脇《せいもんわき》に停《と》まったテレビ中継車《ちゅうけいしゃ》のまわりには、すでに子《こ》どもたちが、かなりの数《かず》集《あつ》まっていた。

河川敷《かせんしき》はその反対側《はんたいがわ》である。こちらは、さすがに暑《あつ》いせいか人影《ひとかげ》もまばらである。

『もしもし、ナンバー14。応答《おうとう》ねがいます』

谷本《たにもと》の声《こえ》だ。草《くさ》の中《なか》に座《すわ》ってこちらに手《て》を振《ふ》っている。

「ナンバー1。手紙《てがみ》ありがとう。柿沼《かきぬま》の居所《いどころ》はわかったぞ」

『ほんとか？』

「ほんとだ。いまから言《い》うから、お前《まえ》と女子《じょし》で捜《さが》してくれ」

『了解《りょうかい》。どうぞ』

谷本《たにもと》の声《こえ》が緊張《きんちょう》した。

「柿沼《かきぬま》が監禁《かんきん》されている場所《ばしょ》は、カラオケの聞《き》こえる繁華街《はんかがい》で、近《ちか》くに、子《こ》どもたちが遊《あそ》ぶ公園《こうえん》がある。窓《まど》からは清掃工場《せいそうこうじょう》の建物《たてもの》か煙突《えんとつ》が見《み》える。これだけを手《て》がかりに捜《さが》してくれ」

『そいつは、だいぶきつい条件《じょうけん》だぜ』

「しかたない。柿沼《かきぬま》はそれだけしか言《い》ってこねえんだ。奴《やつ》だって、自分《じぶん》がどこにいるかわかんねえんだろう」

『東京中《とうきょうじゅう》のそんな場所《ばしょ》を捜《さが》したら、一年《いちねん》もかかっちゃうぜ』

「近《ちか》くからやろう。女子《じょし》が二十人《にじゅうにん》いるから、二人《ふたり》ずつチームをつくれば十《じゅっ》チームできるぜ」

『わかった。すぐやってみよう』

「柿沼《かきぬま》んちの盗聴《とうちょう》はうまくいってるか？」

『いってるよ。純子《じゅんこ》のママがうまくセットしてくれたんで、ポリ公《こう》の動《うご》きはこっちに筒抜《つつぬ》けさ』

「ポリ公《こう》は手紙《てがみ》のことどう言《い》ってる？」

『消印《けしいん》は東京中央郵便局《とうきょうちゅうおうゆうびんきょく》だけど、表書《おもてが》きと中味《なかみ》は全部柿沼《ぜんぶかきぬま》の字《じ》だから、どうにもならないみたいだ』

「暗号《あんごう》のことは？」

『全然《ぜんぜん》わかっちゃいねえよ』

「頭《あたま》わるいな。身代金《みのしろきん》のこと言《い》ってきたか？」

『あしたの十一時《じゅういちじ》に犯人《はんにん》から電話《でんわ》があったら、柿《かき》沼《ぬま》のおやじが持《も》って行《い》くらしいぞ』

「そうなると、柿沼《かきぬま》をそれまでに見《み》つけ出《だ》さなくちゃならねえぜ」

『わかった。やってみる。監禁《かんきん》されてる場所《ばしょ》がわかったらどうする？』

「すぐ連絡《れんらく》してくれ。勝手《かって》にやるなよ」

『OK《オーケー》。ほかにないか？』

「十二時《じゅうにじ》から、正門《せいもん》の前《まえ》でおもしろいショーがあるけれど、それを見《み》てるとおそくなるから、すぐ仕事《しごと》にかかってくれ。それだけだ」

『了解《りょうかい》』

相原《あいはら》は、したたり落《お》ちる汗《あせ》を腕《うで》で拭《ぬぐ》った。

「あしたか……。見通《みとお》し暗《くら》くなってきたな」

日比野《ひびの》が空《そら》を仰《あお》いで言《い》った。

「この近《ちか》くなら見《み》つかると思《おも》うけど、遠《とお》くだったらこれだ」

相原《あいはら》は、両手《りょうて》を挙《あ》げてグリコ（お手上《てあ》げ）した。

「どうか柿沼《かきぬま》が見《み》つかりますように」

英治《えいじ》は手《て》を合《あ》わせた。

「こんなときばかりたのんだって、効《き》き目《め》はねえよ」

相原《あいはら》の言《い》うとおりだ。英治《えいじ》は、しかたなしに笑《わら》った。けれど、なんとか柿沼《かきぬま》を助《たす》けたい。そのことだけは頭《あたま》から離《はな》れなかった。

非常階段《ひじょうかいだん》を降《お》りかけると、正門前《せいもんまえ》のざわめきが這《は》い上《あ》がるように聞《き》こえてきた。

4

「みなさん、ごらんください。ここが、子《こ》どもたちの解放区《かいほうく》なのです」

丸顔《まるがお》で出《で》っ腹《ぱら》。上《うえ》から見《み》ると頭《あたま》のてっぺんがすっかり薄《うす》くなっている。一見《いっけん》、とっちゃん坊《ぼう》やといった感《かん》じの男《おとこ》が、マイクを片手《かたて》にしきりにしゃべっている。というより叫《さけ》んでいると言《い》った方《ほう》がいい。

「あいつ、芸能《げいのう》レポーターの矢場勇《やばいさむ》じゃねえか」

「矢場勇《やばいさむ》？」

「そうさ。ヤバイ、サムっていって、一流《いちりゅう》のタレントは、奴《やつ》にスキャンダルを追《お》っかけられるのをびびってるんだ」

日比野《ひびの》は芸能《げいのう》ニュースにくわしい。

「すると、おれたちも一流《いちりゅう》ってわけか?」

宇野《うの》が言《い》った。

「まあ、そういうわけだ」

「よし、じゃ挨拶《あいさつ》しようぜ」

宇野《うの》は日比野《ひびの》と並《なら》んで、テレビカメラに向《む》かってV《ブイ》サインをした。つづいて秋元《あきもと》が、いつの間《ま》に用意《ようい》したのか、自分《じぶん》の似顔絵《にがおえ》と名前《なまえ》を書《か》いたポスターを差《さ》し出《だ》した。

腹《はら》の突《つ》き出《で》た矢場《やば》は、正門《せいもん》の前《まえ》に置《お》かれた脚《きゃ》立《たつ》に、危《あぶ》ない足取《あしど》りで上《のぼ》った。そこからだと、正《せい》門《もん》の内側《うちがわ》に積《つ》み上《あ》げたスチールデスクに乗《の》った子《こ》どもと、正門《せいもん》をはさんで一《いち》メートルくらいの距離《きょり》で向《む》かい合《あ》うことになる。

「みんな、こんにちは」

矢場《やば》は、お前《まえ》たちの気持《きも》ちはわかるぜ。ＯＢ《オービー》なんだからな、という親《した》しげな顔《かお》をしてにっこりわらった。

「こんにちは」

机《つくえ》の上《うえ》には十人《じゅうにん》が乗《の》っかり、あとは二階《にかい》の窓《まど》から見《み》おろしている。

「君《きみ》たちの言《い》いたいこと、なんでもいいから言《い》ってくれないかな」

「テレビで言《い》いたいこと言《い》っちゃっていいのかな」

相原《あいはら》は道路《どうろ》に並《なら》んで、不安《ふあん》げにこちらを見《み》ている、校長《こうちょう》や教頭《きょうとう》に視線《しせん》を向《む》けて言《い》った。

「先生《せんせい》のことなら、何《なに》もしないから心配《しんぱい》しなくていい」

「だけど、連中執念深《れんちゅうしゅうねんぶか》いから、あとできっと復讐《ふくしゅう》するよ」

「しない。それはこの矢場勇《やばいさむ》が全国《ぜんこく》の視聴者《しちょうしゃ》の前《まえ》で約束《やくそく》する。ね、しませんね」

矢場《やば》は、うしろを振《ふ》り向《む》いて念《ねん》を押《お》した。榎本《えのもと》が、苦《にが》い薬《くすり》でも飲《の》んだような顔《かお》でうなずいた。

「さあ、では君《きみ》たちがなぜ解放区《かいほうく》をつくったのか、その理由《りゆう》から話《はな》してもらおうか」

「理由《りゆう》なんて言《い》われても、別《べつ》にないよ」

相原《あいはら》だけが言《い》うのはまずいので、英治《えいじ》が答《こた》えた。

「理由《りゆう》のない行動《こうどう》はないさ。まして、クラス全員《ぜんいん》でこんなトリデをつくって立《た》てこもったんだ。君《きみ》たちが言《い》えないんならぼくが言《い》おう。先生《せんせい》の暴《ぼう》力《りょく》が原因《げんいん》か？　それとも親《おや》か？」

「どっちでもないよ」

「それじゃ、なんだ？」

「だから、理由《りゆう》なんてないって言《い》ったろう」

「それでは納得《なっとく》できないんだよ」

矢場《やば》は、苛立《いらだ》ったようにマイクを押《お》しつける。

「じゃ、あんたたちのときは、どういう理由《りゆう》で闘《たたか》った？」

「われわれのときは、最初《さいしょ》は大学《だいがく》の権利回復闘争《けんりかいふくとうそう》だったけれど、それが次第《しだい》に政治運動《せいじうんどう》に発展《はってん》していったのだ。いや、政治的《せいじてき》な権力闘争《けんりょくとうそう》ばかりじゃない。学生《がくせい》として、人間《にんげん》としての解放《かいほう》を求《もと》めた闘《たたか》いだった。

君《きみ》たちの考《かんが》えていることは、ぼくには鏡《かがみ》に映《うつ》したようにわかる。君《きみ》たちは、管理《かんり》教育《きょういく》に反抗《はんこう》して立《た》ち上《あ》がったんだ。みなさん、この解放区《かいほうく》は、大都会《だいとかい》のブラックホールです。いまは、ちっぽけなものですが、それは、あすにでも巨大《きょだい》なものに成長《せいちょう》し、すべてを呑《の》みこんでしまうかもしれません。時代《じだい》は、いま確実《かくじつ》に変《か》わろうとしているのです」

「ちょっと、おっさん」

相原《あいはら》は、処置《しょち》なしという顔《かお》で矢場《やば》の話《はなし》をさえぎった。

「あんた、いまやってる仕事《しごと》に満足《まんぞく》してんのかい？」

矢場《やば》は、ぐっとつまった。

「仕事《しごと》に貴賤《きせん》はない。満足《まんぞく》してるさ」

「あんたのやってることってのは、タレントのスキャンダルを追《お》いかけまわしちゃ、テレビでいやらしいおばさんたちにばくろしてるんだろう」

「それはだな、みんながそういうことに興味《きょうみ》があるからだよ」

「じゃあ、みんながスカートをめくれって言《い》ったら、あんたはめくるかい？」

「ばかなことを言《い》うんじゃない」

「あんたのやってることと、スカートめくりとどこがちがうんだい」

矢場《やば》の顔《かお》が、みるみる赤黒《あかぐろ》くなった。

「助平《すけべい》」

「痴漢《ちかん》」

みんなが、手《て》をたたいてはやしたてた。

「みなさん、このわるガキぶりをごらんいただけたでしょうか？　これでは、総理大臣《そうりだいじん》が道徳《どうとく》教《きょう》育《いく》と言《い》うのもわかる気《き》がします」

「スカートめくり屋《や》が道徳《どうとく》教《きょう》育《いく》だって、笑《わら》わしちゃいけないよ。道徳《どうとく》教《きょう》育《いく》が必要《ひつよう》なのは、あんただってこと忘《わす》れちゃ困《こま》るぜ」

「まさに、恐《おそ》るべき子《こ》どもたちです。彼《かれ》らをこんなにしたのは、親《おや》でしょうか、教師《きょうし》でしょうか。それとも社会《しゃかい》でしょうか？」

「またそんなこと言《い》う。あんたは、他人《ひと》のスキャンダルをばらして有名人《ゆうめいじん》になったんだ。あんまり目立《めだ》ちたがらない方《ほう》がいいぜ」

「ご忠告《ちゅうこく》ありがとう。これから気《き》をつけることにしよう。で、君《きみ》たちは、いつまでここに立《た》てこもるつもりなんだ？」

さすがにプロである。すぐに体勢《たいせい》を立《た》て直《なお》して笑顔《えがお》を見《み》せた。

「おれたち、酒井《さかい》先生《せんせい》と約束《やくそく》したんだ。これからおれたちが問題《もんだい》を十問《じゅうもん》出《だ》すから、先生《せんせい》が十問中《じゅうもんちゅう》八問答《はちもんこた》えたら、ここを出《で》るって」

「ほう。それはどういうことなのか、くわしくおしえてくれないかな」

「簡単《かんたん》なことさ。おれたちが負《ま》けたらここを出《で》る。先生《せんせい》が負《ま》けたら一人《ひとり》プロレスをやる」

「一人《ひとり》プロレス？」

「一人《ひとり》でプロレスをやることさ」

「それ、ほんとうですか？」

矢場《やば》は、かたまっている教師《きょうし》の方《ほう》を振《ふ》り向《む》いて言《い》った。

「そのとおりです」

酒井《さかい》がうなずいた。

「では、先生《せんせい》ここへ上《のぼ》ってきてください」

矢場《やば》に言《い》われて、酒井《さかい》は脚立《きゃたつ》に駆《か》け上《のぼ》った。

「さあこい」

酒井《さかい》は、まるで柔道《じゅうどう》の山下選手《やましたせんしゅ》みたいにかっこうつけて仁王立《におうだ》ちになった。戦《たたか》いは、肉体《にくたい》ではなくて、頭脳《ずのう》だということに気《き》がついていない。これではもう勝《か》ったようなものだ。

「では第一問《だいいちもん》」

相原《あいはら》は、ノートに目《め》をやった。

「鹿児島本線《かごしまほんせん》の鹿児島《かごしま》から川内《せんだい》までの駅名《えきめい》を、順《じゅん》番《ばん》に答《こた》えなさい」

「仙台《せんだい》といえば東北地方《とうほくちほう》だ。九州《きゅうしゅう》じゃないぞ。もっと地理《ちり》をよく勉強《べんきょう》しろ」

「鹿児島県《かごしまけん》にも川内《せんだい》ってところはあるんだよ。教《おし》えてやるよ。川内《かわうち》って書《か》いて、〝せんだい〟って読《よ》むんだ。そんなことも知《し》らないようじゃ、わかるわけないな。参《まい》ったか？」

「参《まい》った」

「では第二問《だいにもん》。これは先生《せんせい》ならだれでも知《し》ってる法律《ほうりつ》だ。学校教育法第《がっこうきょういくほうだい》11条《じょう》は、どういうことを言《い》っているか？」

「知《し》らん」

トドは首《くび》を振《ふ》った。

「そんなことも知《し》らねえの。生徒《せいと》に体罰《たいばつ》を加《くわ》えることはできないってことだよ」

酒井《さかい》の顔《かお》が真《ま》っ赤《か》になった。

「お前《まえ》のやってることは法律違反《ほうりついはん》なんだぞ」

何人《なんにん》かが言《い》った。

酒井《さかい》は、ぐっと相原《あいはら》をにらんだ。いまにもつかみかからんばかりの形相《ぎょうそう》だ。

「第三問《だいさんもん》。こんどは得意《とくい》の体育《たいいく》だ。いまから言《い》うスポーツとその用語《ようご》の組《く》み合《あ》わせで誤《あやま》っているの

はどれか。サッカー、フォワード、フルバック、スクラム、オフサイド、

「スクラムはラグビーだ。くだらないことを聞《き》くな」

「では第四問《だいよんもん》。〝反面教師《はんめんきょうし》〟について次《つぎ》の説明《せつめい》のうち正《ただ》しいのはどれか。①田山花袋《たやまかたい》の小説名《しょうせつめい》。②毒《どく》を変《へん》じて薬《くすり》とするという意味《いみ》の中国《ちゅうごく》の思想《しそう》。③学校教育《がっこうきょういく》よりも内職《ないしょく》に力《ちから》を注《そそ》ぐ教師《きょうし》。④校長《こうちょう》・教頭《きょうとう》の管理職《かんりしょく》に対《たい》する一般教員《いっぱんきょういん》の総称《そうしょう》。⑤

道徳《どうとく》教育《きょういく》は不必要《ふひつよう》という考《かんが》えをもつ教師《きょうし》」

「⑤にきまっとる」

「残念《ざんねん》でした。②じゃないか」

「四問中《よんもんちゅう》、正解《せいかい》は一問《いちもん》じゃ落第《らくだい》だね。じゃ、約束《やくそく》どおりやってもらいましょう」

「ちょっと待《ま》ってくれ」

酒井《さかい》のこんな情《なさ》けない顔《かお》を見《み》るのははじめてだった。

「早《はや》くやれよ」

「男《おとこ》だろ」

「約束《やくそく》破《やぶ》るなんて汚《きた》ねえぞ」

みんな口々《くちぐち》に喚《わめ》き、窓《まど》をたたいた。

「武士《ぶし》の情《なさ》けだ。たのむ」

酒井《さかい》は手《て》を合《あ》わせた。

「天野《あまの》、かまわねえから実況《じっきょう》をはじめろ」

相原《あいはら》が言《い》うと、天野《あまの》はマイクをにぎった。

「さあいよいよ、トド酒井《さかい》対《たい》アントニオ猪木《いのき》の宿《しゅく》命《めい》の対決《たいけつ》を迎《むか》えようとしています。トド酒井《さかい》、チャレンジャーの入場《にゅうじょう》であります。戦《たたか》いのワンダーランドは人人人《ひとひとひと》、解放区前《かいほうくまえ》、七千人《ななせんにん》の超満員《ちょうまんいん》の観《かん》衆《しゅう》がどよめいております。場内《じょうない》には、トド酒井《さかい》のテーマ曲《きょく》〝練鑑《ねりかん》ブルース〟が流《なが》れてきました」

〽チンケな校長《こうちょう》におだてられ
ガキをしごいて　ケガをさせ
暴力教師《ぼうりょくきょうし》とそしられて

とうとうクビになりました
〽検事《けんじ》、判事《はんじ》のいる前《まえ》で
ついた罪名《ざいめい》　傷害罪《しょうがいざい》
やっとの思《おも》いでシャバに出《で》りゃ
おいらのスケちゃん　ダチの嫁《よめ》

酒井《さかい》は、自信《じしん》のない足《あし》どりで脚立《きゃたつ》をおりた。周《しゅう》囲《い》からいっせいに猪木《いのき》コールがおこった。

「猪木《いのき》、トドを殺《ころ》せぇ」

猪木《いのき》のテーマがスピーカーから流《なが》れた。

「天野《あまの》、つづけろ」

二階《にかい》の窓《まど》から声《こえ》がした。それににっこりと笑顔《えがお》を見《み》せる余裕《よゆう》が、天野《あまの》にもできたようだ。

「いま、問答無用《もんどうむよう》のテロリスト、プロレスアナーキー・トド酒井《さかい》がコールされました。つづいて、燃《も》える闘魂《とうこん》、アントニオ猪木《いのき》のコール。内乱《ないらん》、テロ、リボリューションとさまざまな断《だん》面《めん》を見《み》せながら、過激《かげき》なプロレスをこえたシュールな戦《たたか》いが、いま展開《てんかい》されようとしております。まさに四角《しかく》いジャングル。おおぉおーっと、きょうは四角《しかく》じゃない細長《ほそなが》いジャングルは、燎原《りょうげん》の火《ひ》のように燃《も》えさかっているわけであります」

酒井《さかい》のまわりに子《こ》どもたちが集《あつ》まって「やれ、やれ」とけしかける。

酒井《さかい》は、拳《こぶし》を握《にぎ》りしめたまま空《そら》を見上《みあ》げてにらんでいる。

二階《にかい》の窓《まど》からも罵詈《ばり》が雨《あめ》あられと降《ふ》り注《そそ》ぐ。

「卑怯者《ひきょうもの》！」

「大《おお》ぼら吹《ふ》き！」

「それでも男《おとこ》か！　できなけりゃ、手《て》をついてすみませんと謝《あやま》れ」

「何《なに》を……」

酒井《さかい》は、二階《にかい》の窓《まど》をにらみつけた。

「怒《おこ》れ、怒《おこ》れ！」

「トド酒井《さかい》の顔《かお》は真《ま》っ赤《か》。猪木《いのき》もひじょうにけわしい表情《ひょうじょう》をしております。両者《りょうしゃ》の胸《むね》のうちから理《り》性《せい》は完全《かんぜん》に消《き》え、闘争本能《とうそうほんのう》だけ。一〇〇《ひゃく》パーセント闘争本能《とうそうほんのう》だけのすさまじい様相《ようそう》になってまいりました」

天野《あまの》は、隣《となり》にいる英治《えいじ》に「水《みず》」と言《い》った。英治《えいじ》がコップをわたす。それを一息《ひといき》に飲《の》んだ。

「あんちくしょう。まだ動《うご》かねえのか」

さすがに天野《あまの》も、処置《しょち》なしという顔《かお》で舌打《したう》ちをした。

「ちょっと貸《か》せよ」

英治《えいじ》は、天野《あまの》のマイクを手《て》にした。

「どうしたことでしょう。トド酒井《さかい》は試合放棄《しあいほうき》の模様《もよう》です。彼《かれ》の強《つよ》がりはハッタリだったのです。弱虫《よわむし》トドちゃん。もういいからお家《うち》にお帰《かえ》り」

みんながいっせいに笑《わら》った。

「おれは、試合放棄《しあいほうき》なんかせんぞ」

酒井《さかい》は、そう言《い》うなり、飛《と》びげりをやった。みんながいっせいに拍手《はくしゅ》した。

天野《あまの》は、英治《えいじ》が持《も》っているマイクをもぎ取《と》った。

「あッ、トド酒井《さかい》がいきなりドロップキックを猪木《いのき》の顔面《がんめん》に炸裂《さくれつ》させました。猪木《いのき》はロープまでふっ飛《と》んだ。この次《つぎ》には何《なに》が待《ま》ちかまえている

か。おぉおぉッ、トド・ラリアート。猪木《いのき》あぶない、あぶない！　猪木《いのき》かわした。バックをとった。ジャーマンだ。トドかえした。まさしく超異次元《ちょういじげん》トワイライトゾーン。変幻自在《へんげんじざい》の大《おお》わざの応酬《おうしゅう》だ」

酒井《さかい》は、道路《どうろ》の上《うえ》でころがったり、飛《と》んだり、走《はし》ったり、腕《うで》をふりまわしている。

「あいつ、とうとう気《き》が狂《くる》っちゃったぜ」

英治《えいじ》は、相原《あいはら》に話《はな》しかけた。相原《あいはら》は、呆《あき》れてものも言《い》えないという表情《ひょうじょう》だ。

「まさに白兵戦《はくへいせん》、つば競《ぜ》り合《あ》いの様相《ようそう》をきたしてまいりました。おぉおッ、トド酒井《さかい》凶器《きょうき》を取《と》り出《だ》しました。猪木《いのき》の首筋《くびすじ》をねらった。

『山本《やまもと》さん、いまにぶい音《おと》がしましたね』

『ええ、これは反則《はんそく》ですね』

猪木《いのき》怒《おこ》った。鬼神《きじん》の表情《ひょうじょう》であります。怒《いか》りの暴爆《ぼうばく》。フラストレーションを一気《いっき》に吹《ふ》き飛《と》ばす延髄《えんずい》斬《ぎ》り二連発《にれんぱつ》。超満員《ちょうまんいん》の会場《かいじょう》は、まさに戦慄《せんりつ》のブリザード現象《げんしょう》を見《み》せているのであります。おおッと、カウントが入《はい》りました。レフェリーは猪木《いのき》の右腕《みぎうで》を高《たか》だかとさしあげましたが、トド酒井《さかい》はまだ動《うご》きません。これは相当《そうとう》のダメージでありま す。もう再起《さいき》は不可能《ふかのう》かもしれません。では、これで解放区前《かいほうくまえ》からのプロレス中継《ちゅうけい》を終《お》わります。みなさんごきげんよう」

酒井《さかい》は、道路《どうろ》に寝《ね》たまま動《うご》こうとしない。天野《あまの》は、マイクを矢場《やば》に返《かえ》した。拍手《はくしゅ》がいっせいにおこった。

5

夜《よる》になっても、昼間《ひるま》のテレビ中継《ちゅうけい》の興奮《こうふん》は、いっこうにさめなかった。

「天野《あまの》の放送《ほうそう》は過激《かげき》を通《とお》りこしてシュールだったぜ。トドののたうちまわっているかっこうったらなかったな」

これまで、男子生徒《だんしせいと》で酒井《さかい》に痛《いた》めつけられたことのない者《もの》はいない。だから、全員胸《ぜんいんむね》がすかっとしたのだ。

「練鑑《ねりかん》ブルースがよかったな。おれは、胸《むね》にじんときたぜ」

安永《やすなが》が言《い》った。

「来年《らいねん》あたり、行《い》くかもしれねえからな」

変声期《へんせいき》の安永《やすなが》は、かすれた声《こえ》で歌《うた》い出《だ》した。

〽身《み》から出《で》ましたサビゆえに
チンケなポリ公《こう》にパクられて

手錠《てじょう》かまされこづかれて着《つ》いたところは鑑別所《かんべつしょ》
「鑑別所《かんべつしょ》には行《い》くなよ」

相原《あいはら》が言《い》った。

「そりゃ、おれだって行《い》きたかねえけど、やるときはやらなきゃ、男《おとこ》が立《た》たねえからな」

「やるときは、みんなでやるのさ。鑑別所《かんべつしょ》にも、みんなで行《い》こうぜ」

みんな笑《わら》ったけれど、英治《えいじ》は笑《わら》えなかった。それは、鑑別所《かんべっしょ》に行《い》くのがこわいからではなく、こんやの九時《くじ》に、花火倉庫《はなびそうこ》へ花火《はなび》を盗《ぬす》みに行《い》くことが、ずっと頭《あたま》にひっかかっていたからである。

出発《しゅっぱつ》の八時四十分《はちじよんじっぷん》まで、あと三十分《さんじっぷん》しかない。時間《じかん》は刻々《こっこく》と迫《せま》ってくる。時計《とけい》が止《と》まればいいのに。それとも、何《なに》かハプニングが起《お》きて中止《ちゅうし》になればいい。

英治《えいじ》は、いっしょに行《い》く安永《やすなが》、佐竹《さたけ》、吉村《よしむら》、立石《たていし》の顔《かお》をこっそり見《み》た。どの顔《かお》も明《あか》るそうで、みんなとはしゃいでいる。

――おれって、特別《とくべつ》臆病《おくびょう》なのかな。

英治《えいじ》は恥《は》ずかしくなった。

「さあ、そろそろ行《い》こうか」

八時《はちじ》四十分《よんじっぷん》になったとき、瀬川《せがわ》はそう言《い》って腰《こし》を上《あ》げた。まるで、散歩《さんぽ》にでも行《い》くみたいな気《き》軽《がる》さだ。

英治《えいじ》は、からだじゅうの筋肉《きんにく》が、一度《いちど》にぴんと張《は》りつめた感《かん》じがした。バネ仕掛《じか》けの人形《にんぎょう》みたいに、ぎこちなく立《た》ち上《あ》がった。

「しっかりやってこいよ」

相原《あいはら》が手《て》を出《だ》したので、その手《て》をしっかりにぎった。

「そんなに深刻《しんこく》な顔《かお》をするなよ」

相原《あいはら》に言《い》われてしまった。

「そりゃそうだけど、やっぱり泥棒《どろぼう》ってのはびびるよな」

声《こえ》がふるえたかなと思《おも》ったけれど、だれも何《なに》も言《い》わなかった。

「おれんちのものを、おれが持《も》ってくるんだから、泥棒《どろぼう》じゃねえよ」

立石《たていし》が言《い》った。

瀬川《せがわ》は、広場《ひろば》の隅《すみ》まですたすたと歩《ある》いて行《い》くと、五〇《ごじゅっ》センチくらいの鉄《てつ》の棒《ぼう》で、マンホールのふたをこじあけた。

「ほら、このふたを動《うご》かせ」

瀬川《せがわ》に言《い》われて、相原《あいはら》と日比野《ひびの》が、二人《ふたり》ががかりでふたをずらした。英治《えいじ》は、ぽっかりあいた、暗《くら》い穴《あな》をのぞきこんだ。なんにも見《み》えない。中《なか》からは異様《いよう》なにおいが立《た》ちのぼってくる。

「では行《い》くぞ。足《あし》もとに注意《ちゅうい》してついてこい」

瀬川《せがわ》は、懐中電灯《かいちゅうでんとう》を穴《あな》の底《そこ》に向《む》けた。丸《まる》い光《ひかり》の輪《わ》の中《なか》に鉄《てつ》のはしごが見《み》える。一歩《いっぽ》、一歩《いっぽ》、慎《しん》重《ちょう》な足取《あしど》りでおりて行《い》く。英治《えいじ》がそのあとにつづいた。

はしごをおりると、足《あし》が水《みず》につかった。

「すべるから気《き》をつけろ」

瀬川《せがわ》の声《こえ》が反響《はんきょう》して、なんだか別《べつ》の次元《じげん》にスリップしてしまったような気《き》がする。ここはまだ本管《ほんかん》でないので、腰《こし》をかがめないと歩《ある》けない。そのうえ、かなり流《なが》れは早《はや》く、底《そこ》はぬるぬるしているので、足《あし》をとられていまにもすべりそうだ。

「どうした。そんなにゆっくりしていると、夜《よ》が明《あ》けてしまうぞ」

瀬川《せがわ》の声《こえ》が壁《かべ》に反響《はんきょう》した。光《ひかり》の輪《わ》は、かなり先《さき》に行《い》っている。英治《えいじ》は、急《いそ》ごうと足《あし》を進《すす》めたとたん、すべって尻餅《しりもち》をついた。顔《かお》に水《みず》がかかった。すごいにおいだ。

「あッ、鼠《ねずみ》」

吉村《よしむら》の悲鳴《ひめい》が聞《き》こえた。

「鼠《ねずみ》くらいでがたがたするな。もうすぐ本管《ほんかん》だ」

うしろでだれかがころんだ。つづいてもう一人《ひとり》。声《こえ》の様子《ようす》から安永《やすなが》と佐竹《さたけ》みたいだ。

ようやく本管《ほんかん》に出《で》たときは、瀬川《せがわ》をのぞいて全《ぜん》員《いん》がびしょ濡《ぬ》れだった。といっても、ショートパンツにT《ティー》シャツだから、マンホールを出《で》たら、児《じ》童公園《どうこうえん》の水道《すいどう》でからだを洗《あら》えばいい。とにかく、この臭《くさ》さだけはかなわない。

本管《ほんかん》に出《で》ると、立《た》っても十分《じゅうぶん》な広《ひろ》さになり、おまけに歩道《ほどう》がついている。流《なが》れもずっとゆるやかになった。鼠《ねずみ》がときどき、その流《なが》れの中《なか》を走《はし》るが、なれてしまうと、だれもおどろかなくなる。

「おじいさん、こんなところを一人《ひとり》で歩《ある》いて、よくこわくなかったね」

「戦争《せんそう》にくらべれば、ここは安全《あんぜん》さ。命《いのち》を狙《ねら》われることは絶対《ぜったい》にないからな」

「夜《よる》だと、敵《てき》か味方《みかた》かどうして見分《みわ》けるの？」

「合言葉《あいことば》をきめておくのさ。山《やま》と言《い》ったら、川《かわ》と答《こた》えるんだ」

「忘《わす》れたらたいへんだね」

「そりゃたいへんだ。命《いのち》がなくなる」

「おじいさん、戦争《せんそう》で人《ひと》を殺《ころ》したことある？」

「あるさ」

「人殺《ひとごろ》しをしたの？」

吉村《よしむら》が甲高《かんだか》い声《こえ》をあげた。

「殺《ころ》さなきゃこっちが殺《ころ》される。戦争《せんそう》って、そういうもんだ」

「殺《ころ》したとき、どんな気《き》がした？」

「いやなものさ。もう何十年《なんじゅうねん》も前《まえ》のことだが、いまでも夢《ゆめ》を見《み》てうなされる」

瀬川《せがわ》の声《こえ》が急《きゅう》に暗《くら》くなった。

「戦争《せんそう》っていやだね」

「いやだな」

「だれだって戦争《せんそう》はいやなのに、どうしてするのかな」

「人間《にんげん》という奴《やつ》は、しようのない動物《どうぶつ》だ。お前《まえ》たち、戦争《せんそう》はするなよ」

瀬川《せがわ》は、しゃべりながらも目《め》は壁《かべ》を見《み》ている。本管《ほんかん》に出《で》て、七《しち》、八分《はっぷん》も歩《ある》いたろうか、突然《とつぜん》立《た》ち止《ど》まると、

「ここだ」

と壁《かべ》を指《ゆび》さした。そこには白《しろ》いペンキで○印《じるし》がつけてあり、脇《わき》に鉄《てつ》のはしごがある。

「この上《うえ》が公園《こうえん》だ」

瀬川《せがわ》は、懐中電灯《かいちゅうでんとう》を上《うえ》に向《む》けた。鉄《てつ》のふたが、丸《まる》い光《ひかり》の輪《わ》の中《なか》に見《み》えた。

「懐中電灯《かいちゅうでんとう》で照《て》らしていてくれ」

英治《えいじ》は、自分《じぶん》の懐中電灯《かいちゅうでんとう》を上《うえ》に向《む》けた。瀬川《せがわ》ははしごをのぼると、解放区《かいほうく》から持《も》ってきた鉄《てつ》棒《ぼう》で、ふたをこじあけはじめた。何分《なんぷん》かがたって、英治《えいじ》は上《うえ》に向《む》けている首《くび》が痛《いた》くなったとき、やっと隙間《すきま》ができたらしい。

「だれか、たのむ」

瀬川《せがわ》と交代《こうたい》して、安永《やすなが》がはしごをのぼった。安《やす》永《なが》はそこに鉄棒《てつぼう》をつっこむと、音《おと》もなく動《うご》かした。それから、ゆっくりと首《くび》を上《うえ》に突《つ》き出《だ》した。

「だれかいるか?」

英治《えいじ》が声《こえ》をひそめて聞《き》いた。

「だれもいねえから上《あ》がってこい」

安永《やすなが》は、そう言《い》うが早《はや》いか、からだはもう外《そと》に出《で》ている。英治《えいじ》が首《くび》を出《だ》すと、安永《やすなが》は砂場《すなば》の脇《わき》の水道《すいどう》から水《みず》を出《だ》して、顔《かお》を洗《あら》っているところだった。

「いいか、これからわしは立石《たていし》といっしょに、立《たて》石《いし》の家《いえ》に行《い》って車《くるま》を持《も》ってくる。それまでみんなは、人目《ひとめ》につかないように、ここで待《ま》っていろ」

瀬川《せがわ》の声《こえ》を背中《せなか》に聞《き》いて、英治《えいじ》も外《そと》へ飛《と》び出《だ》した。

たいして広《ひろ》くない児童公園《じどうこうえん》は、水銀灯《すいぎんとう》に照《て》らされて白《しろ》っぽく見《み》える。風《かぜ》がぴたりと止《と》まって蒸《む》し暑《あつ》い夜《よる》であった。

四人《よにん》がからだを洗《あら》って、ベンチに腰《こし》をおろすとちょうど九時《じ》であった。はたして、純子《じゅんこ》と久美子《くみこ》はくるであろうか。英治《えいじ》は、あたりを見《み》まわした。

「あ、きたぞ」

最初《さいしょ》に見《み》つけたのは吉村《よしむら》である。まだ遠《とお》くて、二《ふた》つの人影《ひとかげ》が見《み》えるだけだ。やがて、純子《じゅんこ》と久美《くみ》子《こ》だとはっきりわかった。ベンチに腰《こし》かけている四人《よにん》に向《む》かって手《て》を振《ふ》った。

二人《ふたり》は、四人《よにん》に近《ちか》づいたとたん、

「臭《くさ》い。なんのにおい」

と顔《かお》をしかめた。

「におうか?」

「におうかじゃないわよ。まるでドブみたい」

「そのドブからやってきたのさ」

「きゃッ」といって、二人《ふたり》は飛《と》びのいた。

「まあ、聞《き》けよ」

英治《えいじ》は、鼻《はな》をハンカチで押《お》さえている二人《ふたり》に、
抜《ぬ》け穴《あな》の秘密《ひみつ》を説明《せつめい》した。

「あそこから出《で》てきたの？」

二人《ふたり》は、マンホールを見《み》に行《い》った。

「真《ま》っ暗《くら》じゃん。こわくなかった？」

「そりゃ、こわいさ。でっかい鼠《ねずみ》がいるんだ」

「きゃッ」

また、二人《ふたり》は大袈裟《おおげさ》におどろいてみせた。

「おれたち、これから何《なに》するか知《し》ってるか？」

「何《なに》するの？」

「泥棒《どろぼう》に行《い》くのさ」

「泥棒《どろぼう》？」

「大《おお》きな声出《こえだ》すなよ。それより、君《きみ》たちこの時間《じかん》によく家《いえ》を出《で》られたな」

「うちのおやじは女《おんな》のところだし、おふくろは芝《しば》居見物《いけんぶつ》だもん。へっちゃらさ」

久美子《くみこ》が言《い》うと、純子《じゅんこ》が、

「うちは、ママが入院《にゅういん》で、子《こ》どもが六人《にん》もごちゃごちゃしてるでしょう。一人《ひとり》くらいいなくなったって、気《き》がつきゃしないわよ」

英治《えいじ》は、おかしくて笑《わら》い出《だ》した。

「柿沼《かきぬま》の方《ほう》はどうなった？」

「そのことだけど……」

純子《じゅんこ》は、砂場《すなば》に目《め》を落《お》とした。

「私《わたし》はこう考《かんが》えたのよ。柿沼君《かきぬまくん》は、窓《まど》から建物《たてもの》か煙突《えんとつ》を見《み》ただけで、清掃工場《せいそうこうじょう》だとわかった。ということは、柿沼君《かきぬまくん》がいつも見《み》ているN橋《エヌはし》の工場《こうじょう》しかないと思《おも》うの」

「純子《じゅんこ》さえてるな。たしかにそのとおりだ。よその町《まち》にあるのだったら、清掃工場《せいそうこうじょう》かどうかわかるわけがねえ」

「そうでしょう。そうなればもうしめたものよ。繁華街《はんかがい》の近《ちか》くの児童公園《じどうこうえん》は、調《しら》べてみたら三つしかなかったわ。その中《なか》で清掃工場《せいそうこうじょう》の煙突《えんとつ》が見《み》えそうなところは一《いっ》か所《しょ》だけ」

「やったあ。じゃあ、見《み》つかったと同《おな》じじゃんか？」

「まだよ。次《つぎ》にやることは、どこに監禁《かんきん》されてるかってことよ」

「あの辺《へん》も、うちはたてこんでるんだろう？」

「そりゃそうよ。だけど、ほかの人《ひと》に知《し》られずに、柿沼君《かきぬまくん》を隠《かく》せる家《いえ》はそんなに多《おお》くはないと思《おも》うわ」

「倉庫《そうこ》みたいなところか？」

「ちがうね。私《わたし》は、アパートみたいなところじゃないかと思《おも》う」

「そうか……」

英治《えいじ》は、純子《じゅんこ》みたいには頭《あたま》が回転《かいてん》しない。

「チャンスは一《ひと》つあるのよ、ママに聞《き》いたところによると、犯人《はんにん》は、いままで電話《でんわ》はいつも公衆《こうしゅう》電話《でんわ》でかけてきたんだって」

「それがどうしたんだ?」

「あしたの十一時《じゅういちじ》に犯人《はんにん》は電話《でんわ》してくることに

なってるんだけど、そのときも、きっと公衆電《こうしゅうでん》話《わ》でかけてくると思《おも》うんだ」

「そうか。犯人《はんにん》は隠《かく》れ家《が》から出《で》てくるんだ」

「そうよ」

「君《きみ》って、名探偵《めいたんてい》だな」

「見直《みなお》した？」

「見直《みなお》したぜ。おれたちもタローをつれて応援《おうえん》に行《い》くからな」

「タローって、佐竹君《さたけくん》とこの犬《いぬ》？」

「そうさ。こいつに柿沼《かきぬま》の持《も》ちもののにおいを嗅《か》がせれば、一〇〇《ひゃく》メートル以内《いない》ならきっと見《み》つけ出《だ》せるんだ」

佐竹《さたけ》は自慢《じまん》そうに言《い》った。

「じゃ、柿沼君《かきぬまくん》の何《なに》かが必要《ひつよう》ね？」

「帽子《ぼうし》でも靴《くつ》でもいい。君《きみ》のママに言《い》って借《か》りてきてもらえないかな？　もちろん、おれたちが動《うご》くってことは秘密《ひみつ》だぜ」

「わかったわ。それで、柿沼君《かきぬまくん》見《み》つけたらどうするの？」

「もし、見張《みは》りが残《のこ》っていたとしても、タローがやっつけてくれる。そうしたら柿沼《かきぬま》を解放区《かいほうく》へつれて行《い》くんだ。きっと、行《い》きたいって言《い》うと思《おも》うんだ」

「そりゃそうよね。じゃ、犯人《はんにん》は警察《けいさつ》に引《ひ》きわたすの？」

純子《じゅんこ》は、ようやく鼻《はな》にあてたハンカチをはずした。

「見張《みは》りがいたら警察《けいさつ》にわたす。もし犯人《はんにん》が一人《ひとり》だったら、解放区《かいほうく》につれて行《い》く」

「つれて行《い》ってどうするの？」

「子《こ》どもに手出《てだ》しした汚《きた》ねえ野郎《やろう》だ。みんなでたっぷりオトシマエをつけさせてもらうのさ」

安永《やすなが》は、指《ゆび》の関節《かんせつ》をぼきぼきと鳴《な》らした。

「おもしろそうね。あたしも、ライターで鼻毛《はなげ》くらい焦《こ》がしてやりたいよ」

久美子《くみこ》が言《い》った。

「処刑《しょけい》はおれたちにまかせてくれよ。それより、盗聴《とうちょう》の方《ほう》はうまくいってるか？」

「いってるよ。あさっての夜《よる》、おやじと校長《こうちょう》と、警察署長《けいさつしょちょう》と市長《しちょう》が会《あ》うよ」

「どこで？」

「玉《たま》すだれよ」

「玉《たま》すだれが、ひとみの家《いえ》だってことがわかってやるのかな？」

吉村《よしむら》が言《い》った。

「知《し》ってるわけないよ。決《き》めたのは市長《しちょう》らしいよ。六時半《ろくじはん》からだって」

「なんだって、そんなにいろんな連中《れんちゅう》がやってくるんだ?」

「どうも、こんどの市長選挙《しちょうせんきょ》のことらしいよ」

「事前運動《じぜんうんどう》か……」

「多分《たぶん》ね。会《かい》が終《お》わったら、ポルノビデオの鑑賞《かんしょう》会《かい》だって」

「市長《しちょう》に、校長《こうちょう》に、警察署長《けいさつしょちょう》が、おそろいでポルノを見《み》るってのはおもしろいな」

英治《えいじ》は、それを放送《ほうそう》するときのことを考《かんが》えて楽《たの》しくなった。

「ひとみのところなら、部屋《へや》に盗聴器《とうちょうき》を仕掛《しか》けられるな？」

「それより、もっといい方法《ほうほう》があるから、まかしといて」

久美子《くみこ》が言《い》ったとき、公園《こうえん》の脇《わき》にライトバンが停《と》まった。ボディーには立石煙火《たていしえんか》と書《か》いてある。

立石《たていし》が窓《まど》から顔《かお》を出《だ》すと、

「早《はや》く乗《の》れ」

と言《い》った。

「じゃ、あした」

英治《えいじ》とあとの三人《さんにん》は、純子《じゅんこ》と久美子《くみこ》にそう言《い》い残《のこ》して車《くるま》に飛《と》び乗《の》った。運転《うんてん》しているのは瀬川《せがわ》である。

車《くるま》は街《まち》の中《なか》を抜《ぬ》けて堤防《ていぼう》に出《で》た。あけ放《はな》った窓《まど》から入《はい》ってくる夜気《やき》が、顔《かお》を心地《ここち》よくくすぐる。

「やっぱり外《そと》はいいなあ」

吉村《よしむら》が目《め》を細《ほそ》めて言《い》った。たしかに、こうして夜道《よみち》をドライブするのは快適《かいてき》だが、これからしなければならないことを考《かんが》えると、つい心《こころ》が重《おも》くなってくる。

「うちにはだれもいなかったのか？」

英治《えいじ》は聞《き》いてみた。

「おばあちゃんと妹《いもうと》がいたよ」

「見《み》つからなかったか？」

「見《み》つかったよ」

「どうした？　何《なん》か言《い》われたか？」

「なんにも言《い》わねえ。だって、妹《いもうと》は寝《ね》てたし、おばあちゃんは恍惚《こうこつ》なんだよ。おれの顔《かお》見《み》て『こんばんは』って笑《わら》ってたよ」

英治《えいじ》は胸《むね》のつかえが一つ取《と》れた。

堤防《ていぼう》を十分《じっぷん》ほど走《はし》ったとき、立石《たていし》は「そこを左《ひだり》に下《くだ》って」と瀬川《せがわ》に言《い》った。車《くるま》は堤防《ていぼう》沿《ぞ》いに道《みち》を下《くだ》る。片側《かたがわ》は長《なが》いコンクリート塀《べい》がつづく。それが尽《つ》きると、有刺鉄線《ゆうしてっせん》で囲《かこ》まれた空地《あきち》であった。

そこまでくると、車《くるま》も人通《ひとどお》りもすっかり絶《た》えた。

「あれだよ」

立石《たていし》は前方《ぜんぽう》を指《ゆび》さした。車《くるま》のライトで、高《たか》いコンクリート塀《べい》が照《て》らし出《だ》された。それは、いつだったか見《み》た小菅拘置所《こすげこうちしょ》のミニチュアだ。

車《くるま》は鉄《てつ》の門《もん》の前《まえ》で止《と》まった。立石《たていし》は車《くるま》をおりると、鉄《てつ》の門《もん》に鍵《かぎ》を突《つ》っこんでまわした。

こんなところへ、パトカーでもやってきたらたいへんだ。英治《えいじ》は、あたりを見《み》まわしながら、気《き》が気《き》ではなかった。

鉄《てつ》の門《もん》がきしみながらあいた。瀬川《せがわ》は、車《くるま》をゆっくりと中《なか》へ入《い》れる。立石《たていし》が門《もん》を閉《し》めた。

これで、外《そと》をだれかが通《とお》ったとしても、中《なか》で何《なに》をやっているか見《み》えない。英治《えいじ》の動悸《どうき》はようやくおさまった。

塀《へい》に囲《かこ》まれた中心《ちゅうしん》に、窓《まど》一《ひと》つないコンクリートの建物《たてもの》があった。これが花火倉庫《はなびそうこ》にちがいない。それにも鉄《てつ》の扉《とびら》があった。立石《たていし》はその前《まえ》に進《すす》むと、また鍵《かぎ》をさしこんだ。こんどはわりと簡単《かんたん》にあいた。

「こい」

立石《たていし》に言《い》われて、みんなあとにつづいた。立石《たていし》の懐中電灯《かいちゅうでんとう》が、中《なか》をなめるように照《て》らす。スチールの棚《たな》に、ダンボール箱《ばこ》がきちんと並《なら》んでいる。床《ゆか》には、丸《まる》い玉《たま》が並《なら》んでいる。

「こいつが割物《わりもの》といって、打《う》ち揚《あ》げ花火《はなび》さ。そっちの小《ちい》さいのが三号《さんごう》。大体《だいたい》一二五《ひゃくにじゅうご》メートルくらい上《あ》がる。向《む》こうの大《おお》きいのが十号《じゅうごう》、これは三三〇《さんびゃくさんじゅう》メートル上《あ》がる」

立石《たていし》は、花火《はなび》のことになると、ブレーキが効《き》かなくなったみたいに喋《しゃべ》りはじめる。

「このダンボール箱《ばこ》に入《はい》っているのが枠仕掛《わくじか》けだ。五《ご》、六《ろく》センチくらいの紙《かみ》の筒《つつ》に、火薬《かやく》がつめこんである。ランスというんだけど、そいつをつないで字《じ》や絵《え》をつくるんだ」

「火《ひ》をつけると、どのくらい燃《も》えてるもんなんだ？」

「そうだな、一分《いっぷん》くらいかな。こっちは玩具花火《おもちゃはなび》だ」

立石《たていし》は、棚《たな》のダンボール箱《ばこ》をつぎつぎと英治《えいじ》にわたした。英治《えいじ》はそれを安永《やすなが》に、安永《やすなが》は佐竹《さたけ》に、佐竹《さたけ》は吉村《よしむら》に。吉村《よしむら》は、入口《いりぐち》にいる瀬川《せがわ》にわたす。

瀬川《せがわ》は、それを車《くるま》に運《はこ》んだ。

ダンボール箱《ばこ》を五個《ごこ》運《はこ》び出《だ》すと、立石《たていし》はみんなを外《そと》に出《だ》して、鉄《てつ》の扉《とびら》を閉《し》めた。

「だれか、外《そと》を見《み》てくれないか」

安永《やすなが》が門《もん》を細《ほそ》めにあけて外《そと》をうかがう。

「だれもいねえ」

安永《やすなが》は門《もん》をあけた。車《くるま》はゆっくりと外《そと》へ出《で》る。

立石《たていし》は門《もん》に鍵《かぎ》をかけた。全員《ぜんいん》が車《くるま》に乗《の》りこむ。

「よし、出発《しゅっぱつ》だ」

瀬川《せがわ》が言《い》った。それまで息《いき》をつめていた英治《えいじ》は、
車《くるま》が動《うご》き出《だ》すと同時《どうじ》に、大《おお》きく息《いき》をした。

――やっぱり、泥棒《どろぼう》はいやだ。
車《くるま》は、ふたたび堤防《ていぼう》に出《で》た。急《きゅう》に心《こころ》が軽《かる》くなった英治《えいじ》は、無性《むしょう》に喋《しゃべ》り出《だ》したくなった。

四日《よっか》　救出作戦《きゅうしゅつさくせん》

1

その日《ひ》、柿沼産婦人科病院《かきぬまさんふじんかびょういん》に〝本日休診《ほんじつきゅうしん》〟という貼《は》り紙《がみ》が出《だ》されたが、関係者以外《かんけいしゃいがい》その理《り》由《ゆう》を知《し》る者《もの》はいなかった。

午前九時《ごぜんくじ》になると、広《ひろ》い待合室《まちあいしつ》に男子生徒《だんしせいと》の母親二十人《ははおやにじゅうにん》と、PTA会長《ピーティーエーかいちょう》の堀場千吉《ほりばせんきち》、入院《にゅういん》している橋口純子《はしぐちじゅんこ》の母親暁子《ははおやあきこ》が集《あつ》まった。

学校《がっこう》からは、教頭《きょうとう》の丹羽《にわ》、生徒指導主任《せいとしどうしゅにん》の野沢《のざわ》、担任《たんにん》の八代《やしろ》がやってきた。それに所轄署《しょかつしょ》の杉崎《すぎざき》が加《くわ》わった。

「みなさん、きょうはお暑《あつ》いところ、早朝《そうちょう》からお集《あつ》まりいただいてご苦労《くろう》さまです」

堀場千吉《ほりばせんきち》が、立《た》って挨拶《あいさつ》した。

「今回《こんかい》の柿沼君誘拐事件《かきぬまくんゆうかいじけん》は、男子生徒《だんしせいと》の暴動《ぼうどう》と、ちょうど符節《ふせつ》を合《あ》わせるように行《おこな》われたので、たいへんに混乱《こんらん》いたしましたが、まず、捜査《そうさ》の経緯《いきさつ》を杉崎警部《すぎざきけいぶ》からご報告《ほうこく》していただきます」

千吉《せんきち》は隣《となり》に座《すわ》っている杉崎《すぎざき》を立《た》たせた。小肥《こぶと》りで猪首《いくび》、ごつい容貌《ようぼう》は、黙《だま》っていても警察官《けいさつかん》だとわかる。

「私《わたし》が杉崎《すぎざき》でございます。現在《げんざい》、捜査《そうさ》の進行中《しんこうちゅう》でもありますので、誘拐事件《ゆうかいじけん》ということでマスコミにも報道管制《ほうどうかんせい》を敷《し》いてもらっております。しかし、みなさんは当事者《とうじしゃ》ということで、これまでの捜査経過《そうさけいか》をご報告《ほうこく》しますが、このことにつきましては、人命《じんめい》がかかっていますので、決《けっ》して口外《こうがい》なさらぬようおねがいいたします」

杉崎《すぎざき》は、テーブルに置《お》かれたオレンジジュースを一口《ひとくち》飲《の》んだ。

「犯人《はんにん》の第一回《だいいっかい》の電話《でんわ》は、七月二十日《しちがつはつか》の午後七時《ごごしちじ》。その際《さい》直樹君《なおきくん》の命《いのち》と引《ひ》き替《か》えに千七百万円《せんななひゃくまんえん》を要求《ようきゅう》してまいりました」

この時点《じてん》では、男子生徒全員《だんしせいとぜんいん》が誘拐《ゆうかい》されたのではないかということになって大騒《おおさわ》ぎになったが、それは、翌日子《よくじつこ》どもたちが解放区放送《かいほうくほうそう》で否定《ひてい》したので、結局誘拐《けっきょくゆうかい》されたのは柿沼一人《かきぬまひとり》ということになった。

ただし、捜査当局《そうさとうきょく》はこの誘拐事件《ゆうかいじけん》が、解放区《かいほうく》闘争《とうそう》と無関係《むかんけい》かどうかということについては、結論《けつろん》を出《だ》していない。

翌二十一日《よくにじゅういちにち》、身代金《みのしろきん》の用意《ようい》ができたかという電話《でんわ》があったが、院長《いんちょう》の柿沼靖樹《かきぬまやすき》は、直樹《なおき》の手《て》紙《がみ》を受《う》け取《と》り、無事《ぶじ》であることが確認《かくにん》できなければ払《はら》えないと突《つ》っぱねた。

二十二日《にじゅうににち》、直樹《なおき》の手紙《てがみ》と同時《どうじ》に電話《でんわ》があり、二十三日《にじゅうさんにち》の午前十一時《ごぜんじゅういちじ》にもう一度《いちど》電話《でんわ》するから、そのとき、身代金《みのしろきん》を持《も》ってすぐ出《で》られるよう要求《ようきゅう》があった。

これが、きょうまでの経緯《いきさつ》である。

詩乃《しの》は、見《み》る影《かげ》もなく憔悴《しょうすい》した母親《ははおや》の奈津子《なつこ》の姿《すがた》に胸《むね》がしめつけられ、手《て》を挙《あ》げた。

「ちょっと、よろしいですか?」

「どうぞ」

杉崎《すぎざき》は、またジュースに口《くち》をつけた。

「事件《じけん》の経緯《いきさつ》より、犯人《はんにん》の心当《こころあ》たりですけれど、それはどうなんですか?」

「残念《ざんねん》ながら、まだ五里霧中《ごりむちゅう》です」

「犯人《はんにん》は、こちらのことをよく知《し》っている人物《じんぶつ》じゃございません?」

「あなたのおっしゃりたいのは、患者《かんじゃ》ということですか？」

「ええ」

「その線《せん》は調《しら》べましたが、容疑者《ようぎしゃ》と思《おも》われるような人物《じんぶつ》は浮《う》かび上《あ》がってこないのです」

さすがは警察《けいさつ》である。手《て》ぬかりはない。

「もう一《ひと》つ。身代金《みのしろきん》千七百万《せんななひゃくまん》なんて、どうしてこんな半端《はんぱ》な金額《きんがく》を要求《ようきゅう》してきたのでしょうか。それに、こう申《もう》しては失礼《しつれい》ですけれど、金額《きんがく》も少《すく》な過《す》ぎますわ」

「それはいいご指摘《してき》です」

警部《けいぶ》に褒《ほ》められて、詩乃《しの》は、少《すこ》しばかりいい気《き》持《も》ちになったが、すぐ、はしたないことを言《い》ってしまったと反省《はんせい》した。

「この金額《きんがく》といい、すぐに直樹君《なおきくん》の手紙《てがみ》を送《おく》って寄《よ》こすところといい、この犯人《はんにん》は、それほど凶悪《きょうあく》な男《おとこ》とは思《おも》えないんですけれど……」

「それは、いまの段階《だんかい》ではなんとも申《もう》し上《あ》げられません」

「じゃ、直樹君《なおきくん》に万一《まんいち》のことがあるとでも……？」

「いままでのところは無事《ぶじ》だと思《おも》います。問題《もんだい》は、身代金《みのしろきん》をわたしたあとです」

「わたすと同時《どうじ》につかまえればいいじゃございませんか？」

「もちろん、それが最善《さいぜん》ですが、それには、協力《きょうりょく》していただかないと……」

「直樹《なおき》が帰《かえ》ってくるまで、そっとしておいてください。おねがいします」

靖樹《やすき》が、しぼり出《だ》すような声《こえ》で言《い》った。

「そうよ。犯人《はんにん》をつかまえるより、直樹君《なおきくん》の命《いのち》の方《ほう》が大切《たいせつ》ですわ」

「もちろん、われわれも同《おな》じ考《かんが》えです。ただ、身《み》の代金《しろきん》をわたしたら、それですんなり解放《かいほう》してくれると考《かんが》えるのはどうでしょうか」

「でも、犯人《はんにん》は凶悪《きょうあく》ではなさそうだっておっしゃったでしょう」

「凶悪《きょうあく》でないと言《い》ったのは、誘拐《ゆうかい》したらすぐ殺《ころ》しはしなかったという意味《いみ》です」

「お金《かね》を受《う》け取《と》ったんだから、殺《ころ》す必要《ひつよう》はないでしょう」

「そう言《い》われますが、直樹君《なおきくん》は中学生《ちゅうがくせい》です。犯人《はんにん》の顔《かお》も覚《おぼ》えているにちがいありません」

杉崎《すぎざき》が言《い》った。

「じゃ、身代金《みのしろきん》をわたしたら殺《ころ》すっておっしゃるの？ それはひどいわ」

奈津子《なつこ》は、身《み》をよじって顔《かお》を押《お》さえた。

「いまの警部《けいぶ》さんのお話《はなし》を聞《き》いていると、警察《けいさつ》は、全然《ぜんぜん》手《て》がかりをつかんでいないんでしょう?」

暁子《あきこ》が、けだるそうな声《こえ》で言《い》った。まだ、出産《しゅっさん》して五日目《いつかめ》だから無理《むり》もない。

「ええ、いまのところは」

「子《こ》どもたちは、何《なに》かつかんでるようよ」

「え?」

杉崎《すぎざき》は、暁子《あきこ》の顔《かお》を凝視《ぎょうし》した。

「子《こ》どもたちって……？」

奈津子《なつこ》が聞《き》いた。

「うちの娘《むすめ》たち。二組《にくみ》の女子生徒《じょしせいと》よ。なんだか手《て》がかりをつかんだみたいで、けさ早《はや》くから家《いえ》を出《で》て行《い》ったわ。うそだと思《おも》うなら、二組《にくみ》の女子生徒《じょしせいと》の家《いえ》に電話《でんわ》なさったら？　きっと、いないと思《おも》いますわ」

奈津子《なつこ》は、反射的《はんしゃてき》に立《た》ち上《あ》がって、待合室《まちあいしつ》を出《で》て行《い》った。

「橋口《はしぐち》さんのおっしゃることを聞《き》いていると、女《じょ》子生徒《しせいと》が犯人捜《はんにんさが》しをしているふうに受《う》け取《と》られますが、それはちょっとちがうんじゃないでしょうか」

杉崎《すぎざき》の言《い》い方《かた》はいんぎん無礼《ぶれい》そのものだ。うわべはていねいな口調《くちょう》だが、心《こころ》の底《そこ》では、問題《もんだい》にもしていないといった態度《たいど》がみえみえである。

「いいえ、私《わたし》にはそうは思《おも》えません。子《こ》どもたちは、直樹君《なおきくん》を見《み》つけ出《だ》すんじゃないかしら。そんな気《き》がしてならないんです」

「ほんとうですか……？」

靖樹《やすき》は声《こえ》をはずませた。

「何《なに》を言《い》っているんですか。プロのわれわれが、これだけ頑張《がんば》っても手《て》がかりすら得《え》られないんですよ。そういういい加減《かげん》な気休《きやす》めはよしてください」

「じゃ、お聞《き》きしますけど、もし子《こ》どもたちが助《たす》け出《だ》したら、警部《けいぶ》さんどうしますか？」

「そのときは頭《あたま》を丸《まる》めますよ」

「ただ頭《あたま》を丸《まる》めただけじゃつまらないわ。そうだわ。二十五日《にじゅうごにち》の花火大会《はなびたいかい》の夜《よる》、なにか余興《よきょう》をやっていただきますわ」

「結構《けっこう》です。なんでもやりましょう」

杉崎《すぎざき》が胸《むね》を張《は》って言《い》ったとき、奈津子《なつこ》が待合《まちあい》室《しつ》にもどってきた。

「いま五人《ごにん》のお宅《たく》に電話《でんわ》したんですけれど、どこにもお子《こ》さんがいらっしゃいません」

「どこへ行《い》ったんですか?」

「どこへ行《い》くとも言《い》わず、朝早《あさはや》くから、ふらっと出《で》かけて行《い》ったそうです」

「そんなばかな……」

久美子《くみこ》の父親《ちちおや》堀場千吉《ほりばせんきち》は、みなまで聞《き》かずに待合室《まちあいしつ》を飛《と》び出《だ》して行《い》ったが、あっという間《ま》にもどってきた。

「うちの娘《むすめ》も出《で》かけたそうです」

憮然《ぶぜん》とした顔《かお》で言《い》った。

「もしかしたら、解放区《かいほうく》へ行《い》ったんじゃないかしら？」

吉村美也子《よしむらみやこ》がぽつりと言《い》った。

「まさか……」

「いや、考《かんが》えられないことはありませんよ」

杉崎《すぎざき》は堀場千吉《ほりばせんきち》の顔《かお》をじっと見《み》つめた。

「もしそうだったら、これはたいへんなことですぞ。不純《ふじゅん》異性交遊《いせいこうゆう》だ。警察《けいさつ》はすぐ解放区《かいほうく》へ行《い》って捜索《そうさく》してください」

「女子生徒《じょしせいと》が解放区《かいほうく》へ行《い》くわけないいじゃありませんか。いまの子《こ》どもはもっと利口《りこう》ですよ。もう少《すこ》し信頼《しんらい》した方《ほう》がいいんじゃないですか」

一見茫洋《いっけんぼうよう》と見《み》える暁子《あきこ》が、なぜ、こんなに自信《じしん》をもって子《こ》どものことを言《い》い切《き》れるのか、詩乃《しの》には不思議《ふしぎ》だった。

「犯人《はんにん》からの電話《でんわ》は何時《なんじ》にかかってくるんですか？」

千吉《せんきち》が奈津子《なつこ》に聞《き》いた。

「十一時《じゅういちじ》です。電話《でんわ》があったら、身代金《みのしろきん》を持《も》って、どこへでも行《い》けるよう用意《ようい》してあります。お金《かね》をわたしても、もし直樹《なおき》が帰《かえ》ってこなかったら、私《わたし》もあとを追《お》って死《し》ぬ覚悟《かくご》です」

「死《し》ぬなんて、みなさんの前《まえ》で大袈裟《おおげさ》なことを言《い》うもんじゃない」

靖樹《やすき》がたしなめた。

「大袈裟《おおげさ》じゃありません。直樹《なおき》は私《わたし》のすべてです。あの子《こ》のいない人生《じんせい》なんて、私《わたし》には無意味《むいみ》です」

「逆上《ぎゃくじょう》するんじゃない。もっと冷静《れいせい》になりなさい」

「あなたは、直樹《なおき》がどうなっても平気《へいき》なのよ。ええそうだわ。そうにきまっています」

「なんてことをいうんだ、直樹《なおき》は君《きみ》だけの子《こ》じゃない。ぼくにとっても、かけがえのない宝《たから》だ」

「よくも、しらじらしく言《い》えること。いままで黙《だま》っていたけれど、私《わたし》は、あなたに隠《かく》し子《ご》がいること、ちゃんと知《し》ってるのよ」

「それは君《きみ》の妄想《もうそう》だ。精神安定剤《せいしんあんていざい》でも飲《の》みなさい」

「薬《くすり》でごまかそうたって、その手《て》には乗《の》りませんからね。大体《だいたい》、あなたが女《おんな》にうつつをぬかしたりするから、子《こ》どもを誘拐《ゆうかい》されるようなことが起《お》きるんだわ。もしかしたら、この誘拐《ゆうかい》あの女《おんな》がやらせたんじゃない？」

「みなさんすみません。家内《かない》は錯乱《さくらん》してしまったようです。おーい。だれかきてくれ」

靖樹《やすき》が奥《おく》に向《む》かってどなると、看護婦《かんごふ》が二人《ふたり》やってきた。

「奥《おく》さんをつれて行《い》ってくれ」

「私《わたし》は正常《せいじょう》です。いいから、あなたたち行《い》きなさい」

看護婦《かんごふ》は、二人《ふたり》の間《あいだ》につっ立《た》ったまま、からだをもじもじさせている。

「奥《おく》さん、言《い》いたいことのあるのはわかりますが、それはあとで、お二人《ふたり》で話《はな》し合《あ》っていただくことにして、ここはどうやって直樹君《なおきくん》を救《すく》い出《だ》すか、そのことを話《はな》し合《あ》いましょうや」

千吉《せんきち》が中《なか》に割《わ》って入《はい》った。

「はしたないことをお聞《き》かせして、申《もう》しわけありません」

奈津子《なつこ》は、恥《は》ずかしそうに深々《ふかぶか》と頭《あたま》を下《さ》げたが、詩乃《しの》は、杉崎《すぎざき》の目《め》が光《ひか》ったのを見逃《みのが》さなかった。

それにしても、男《おとこ》と女《おんな》の仲《なか》というものはわからないものだ。奈津子《なつこ》は詩乃《しの》に会《あ》うたび、夫《おっと》ののろけ話《ばなし》ばかりしていたので、てっきり二人《ふたり》は夫婦円満《ふうふえんまん》とばかり思《おも》っていた。

夫《おっと》の英介《えいすけ》だって、表面《ひょうめん》は模範的《もはんてき》なサラリーマンだが、かげで何《なに》をやっているかわかったものではない。詩乃《しの》は、急《きゅう》に男《おとこ》が信《しん》じられなくなった。

「誘拐事件《ゆうかいじけん》の方《ほう》は、われわれではどうしようもないので、プロの警察《けいさつ》におまかせするとして、問題《もんだい》は例《れい》の解放区《かいほうく》です。このまま放置《ほうち》してもいいものでしょうか……？」

教頭《きょうとう》の丹羽《にわ》は、母親《ははおや》たちの顔《かお》をゆっくり眺《なが》めまわした。

「私《わたし》はきのう現場《げんば》には行《い》けなかったので、テレビで見《み》ましたが、なんですか、あのざまは。教師《きょうし》たるものが、子《こ》どもたちにいいようにからかわれ、それをおもしろおかしくテレビで放映《ほうえい》されるとは。私《わたし》は情《なさ》けなくて涙《なみだ》がでました。こんな教師《きょうし》に子《こ》どもをまかしておいたら、どんなことになることやら心配《しんぱい》でなりません。みなさんだってそうでしょう。ね」

堀場千吉《ほりばせんきち》の勢《いきお》いに押《お》されて、母親《ははおや》たちは黙《だま》ってうなずいた。

「とにかく、機動隊《きどうたい》にたのんでただちに中《なか》に突《とつ》入《にゅう》し、全員《ぜんいん》を補導《ほどう》すべきです」

「補導《ほどう》というのは、少年院《しょうねんいん》とかそういうところへ入《い》れるんでしょうか?」

宇野《うの》の母親《ははおや》千佳子《ちかこ》が、消《き》え入《い》りそうな声《こえ》で聞《き》いた。

「もちろんです。これは、たばこやシンナーを吸《す》ったとか、先生《せんせい》をなぐったり、学校《がっこう》の器物《きぶつ》を破《は》損《そん》したりするのとは質《しつ》がちがいます」

「全員《ぜんいん》が非行《ひこう》少年《しょうねん》とはちがうと思《おも》いますけれど
……」

「非行《ひこう》少年《しょうねん》の方《ほう》がまだいいです。これは、そんなものとはくらべものにならんほどたちがわるい」

「とおっしゃいますと？」

詩乃《しの》は、ついつっかかる調子《ちょうし》になった。

「いいですか、彼《かれ》らは既成《きせい》の秩序《ちつじょ》をぶちこわそうとしているのです。これをわれわれが黙認《もくにん》していたらどうなると思《おも》いますか。まちがいなくアナーキストかテロリストです。彼《かれ》らは、かつての全《ぜん》共闘《きょうとう》がやったと同《おな》じように、学校《がっこう》をぶちこわしにかかるでしょう」

千吉《せんきち》は興奮《こうふん》するとやたらにつばをとばすので、詩乃《しの》はからだをよけるようにした。

「悪《あく》の芽《め》は、早《はや》いうちにつみ取《と》るべきです。もしこれが連鎖反応《れんさはんのう》をおこして、日本中《にほんじゅうちゅう》の中学生《がくせい》がこのまねをしたらどうなりますか。日本《にほん》の将来《しょうらい》はめちゃめちゃになりますよ」

「それはちょっとオーバーじゃございません？　相手《あいて》はたかが子《こ》どもですのよ」

佐竹《さたけ》の母親《ははおや》紀子《のりこ》がソプラノで言《い》った。

「とんでもない。あの連中《れんちゅう》の行動《こうどう》をただの子《こ》どものやるいたずらだとばかにしていたら、とんでもないことになります。私《わたし》は、むかしから動物的《どうぶつてき》な勘《かん》を持《も》っているんです。だからわかるんですよ」

「でも、警察《けいさつ》の力《ちから》で押《お》しつぶそうとするのは感心《かんしん》しませんわ」

「じゃ、どうすればいいんですか？　われわれが出《で》かけて行《い》って説得《せっとく》したら、言《い》うことを聞《き》くと思《おも》いますか？　きのうのテレビを見《み》ればわかるでしょう」

「ここは、やはり先生《せんせい》におねがいするしかないと思《おも》いますわ。それでもだめだったら、そのときに対策《たいさく》を考《かんが》えたらいかがでしょう？」

詩乃《しの》が言《い》うと千佳子《ちかこ》が、

「あの子《こ》たちは、けっして悪気《わるぎ》があってしたのではないと思《おも》います。話《はな》せばわかりますから、罪人《ざいにん》にだけはしないでください」

と杉崎《すぎざき》に言《い》った。

「少《すく》なくとも罪《つみ》にはなりませんよ。全員十四歳《ぜんいんじゅうよんさい》以下《いか》ですからね。十四歳以下《じゅうよんさいいか》は刑法《けいほう》に触《ふ》れないんです」

「ああ、よかった」

千佳子《ちかこ》は両手《りょうて》で胸《むね》をさすった。

2

仕掛《しか》け花火《はなび》を出《だ》すためには、まず木《き》の枠《わく》を作《つく》らなければならない。

屋上《おくじょう》では、立石《たていし》が中心《ちゅうしん》になって、小黒《おぐろ》、佐竹《さたけ》、宇野《うの》の四人《よにん》が、朝《あさ》の七時《しちじ》から作業《さぎょう》にかかった。枠《わく》にする木《き》は工場《こうじょう》の中《なか》にいくらでもある。ただし、それを屋上《おくじょう》まで運《はこ》び上《あ》げるために、非常階段《ひじょうかいだん》を何度《なんど》も上《のぼ》り下《お》りしなければならない。

英治《えいじ》が九時《くじ》二十分《にじっぷん》の定時《ていじ》連絡《れんらく》のため屋上《おくじょう》に上《のぼ》ると、四人《よにん》ともばててひっくりかえっていた。

『ナンバー14からどうぞ』

きょうは、河川敷《かせんしき》に立《た》っているのは谷本《たにもと》一人《ひとり》である。

「ナンバー7どうぞ」

『けさ、柿沼《かきぬま》んちへおふくろたちと、セン公《こう》、それにポリ公《こう》が集《あつ》まったぜ』

「なんの目的《もくてき》だ？」

『柿沼《かきぬま》と解放区《かいほうく》のことさ』

「柿沼《かきぬま》のこと、何《なん》かわかったのか？」

『全然《ぜんぜん》』

「それでもプロかよ。解放区《かいほうく》のことは？」

『女子《じょし》がけさから全員《ぜんいん》いなくなっちゃったんで、
おどろいてるぜ』

「ここへきたんじゃないかって言《い》わなかったか？」

『そうなんだよ。よくわかるな』

「おとなの考《かんが》えることなんて、みんなお見通《みとお》しさ。じゃ、女子《じょし》が何《なに》をやってるのか気《き》づいてねえのか？」

『純子《じゅんこ》のおふくろが、柿沼《かきぬま》を捜《さが》しに行《い》ったって言《い》ったんだけど、そこにいたポリ公《こう》が全然信用《ぜんぜんしんよう》しねえんだよ。もし、子《こ》どもたちが柿沼《かきぬま》を助《たす》け出《だ》したら、花火大会《はなびたいかい》の夜《よる》に、頭《あたま》を丸《まる》めて余興《よきょう》をやってもいいってさ』

「そいつはおもしろい。やってもらおうじゃねえか」

相原《あいはら》が、いつの間《ま》にか脇《わき》にいた。

『それはいいけど、校長《こうちょう》がきょうそこへ行《い》くぜ』

「もうやめろって言《い》いにくるのか?」

『それもあるけど、女子《じょし》が隠《かく》れているんじゃねえかと探《さぐ》りに行《い》くんだ』

「そいつはおもしろいや。歓迎《かんげい》するぜ」

『中《なか》に入《い》れるつもりか?』

「入《い》れてやるよ。いま迷路《めいろ》をつくってるから、そこに案内《あんない》するよ」

『迷路《めいろ》？　おもしろそうだな』

「すげえのができるぜ。ただし、完成《かんせい》はあしただだから、きょうはお引《ひ》き取《と》りねがうよ」

『そんなにすげえんなら、校長《こうちょう》だけじゃもったいないな』

「そうなんだよ。いくらでも入《い》れてやるぜ」

『おれも見《み》てみたいな』

谷本《たにもと》は、いかにも残念《ざんねん》そうに言《い》った。

「肝心《かんじん》のことを聞《き》くのを忘《わす》れてたよ。犯人《はんにん》からの電話《でんわ》は何時《なんじ》だ？」

『十一時《じゅういちじ》だ。柿沼《かきぬま》のおやじは、電話《でんわ》があったらすぐ出《で》られるよう、千七百万円用意《せんななひゃくまんえんようい》したってさ』

「十一時《じゅういちじ》までに、柿沼《かきぬま》が見《み》つけられるかな」

『みんな自信満々《じしんまんまん》だったけどな』

「犯人《はんにん》からの電話《でんわ》は盗聴《とうちょう》できるのか？」

『そっちはバッチシだ。電話機《でんわき》に盗聴器《とうちょうき》つけると警察《けいさつ》にばれるから、純子《じゅんこ》のおふくろにたのんで、電話《でんわ》のある部屋《へや》にセットしてもらったんだ』

「純子《じゅんこ》のおふくろって、ずいぶん協力的《きょうりょくてき》だな。おとなにしちゃ、珍《めずら》しいぜ」

『なかには、そういうおとなだっているさ。十一時《じゅういちじ》になったら、トランシーバーをあけといてくれよ』

「了解《りょうかい》」

『じゃ、頑張《がんば》ってくれよ。バイバイ』

谷本《たにもと》の声《こえ》が消《き》えた。

「谷本《たにもと》ってのは、こういうとき俄然《がぜん》たよりになるなあ。それに、純子《じゅんこ》のおふくろもいいひとだな」

相原《あいはら》は、しきりに感心《かんしん》した。

「おい、西脇先生《にしわきせんせい》がきたぞ」

道路《どうろ》を見《み》おろしていた佐竹《さたけ》が言《い》った。屋上《おくじょう》の六
人《にん》が非常階段《ひじょうかいだん》を二階《にかい》まで駆《か》けおりると、みんな
正門《せいもん》から首《くび》を出《だ》して、わいわいしゃべっている。

「お早《はよ》う、先生《せんせい》」

英治《えいじ》は、二階《にかい》の窓《まど》から顔《かお》を出《だ》して言《い》った。

「お早《はよ》う」

西脇《にしわき》は、二階《にかい》に向《む》かって手《て》を振《ふ》った。きょうの西脇《にしわき》は、黒《くろ》のT《ティー》シャツに白《しろ》のスカート、濃《こ》いめのサングラスをかけて、赤《あか》いファミリアの脇《わき》に立《た》っている。

「先生《せんせい》、かっこいいじゃん」

「ほんと？　からだこわした人《ひと》いない？」

「いねえよ。ぴんぴんさ」

「もう音《ね》をあげるかと思《おも》ったのに、案外強《あんがいつよ》いわね。見直《みなお》したわ」

「先生《せんせい》、きょうデート？」

「あら、どうして？」

「見《み》りゃわかるさ」

安永《やすなが》が言《い》った。

「ちがうわよ。きょうはおにぎりと西瓜《すいか》を持《も》ってきたから、車《くるま》で来《き》たの」

「西瓜《すいか》？　おれ、きのう夢《ゆめ》を見《み》たんだ。ずばりあたったぜ」

立石《たていし》が、手《て》をたたいて喜《よろこ》んだ。

「早《はや》くロープをおろしなさい」

安永《やすなが》は、それを待《ま》っていたようにロープをおろす。西脇《にしわき》が、おろしたロープに袋《ふくろ》をくくりつけた。

安永《やすなが》が引《ひ》き上《あ》げる。けっこう重《おも》そうだ。

「おい、三個《さんこ》もあるぞ」

安永《やすなが》が袋《ふくろ》をのぞきこんで言《い》うと、歓声《かんせい》が湧《わ》き起《お》こった。

「おにぎりが五十個《ごじゅっこ》あるわ。朝早《あさはや》くからつくったのよ」

「ありがとう。先生《せんせい》」

安永《やすなが》は、またロープをおろした。それに袋《ふくろ》を結《むす》びつけながら、

「あなたたちにちょっと聞《き》くけど、そこに女子《じょし》いる？」

と西脇《にしわき》が聞《き》いた。

「いないよ、どうしてそんなこと聞《き》くんすか？」

吉村《よしむら》が聞《き》きかえした。

「あなたたちのクラスの女子《じょし》が全員《ぜんいん》、けさからい

なくなっちゃったんだって。お母《かあ》さんたちは、ここじゃないかって騒《さわ》いでたわ」

「ここはボーイズ・オンリーなんだ。女子《じょし》を入《い》れるわけないすよ」

相原《あいはら》が言《い》った。

「じゃ、どこに行《い》ったのかしら？」

「柿沼《かきぬま》を捜《さが》しに行《い》ったのさ。おとなにはまかしておけねえから」

「そういうことだったの。それを聞《き》いて安心《あんしん》したわ」

「そのことで先生《せんせい》に頼《たの》みがあるんだけどな。聞《き》いてくれる?」

「いいわよ。どんなこと?」

「柿沼《かきぬま》んちへ行《い》くと、橋口《はしぐち》純子《じゅんこ》のおふくろが入院《にゅういん》してるんだよ。そこで柿沼《かきぬま》の靴《くつ》とか帽子《ぼうし》とか、なんでもいいから柿沼《かきぬま》のものを、そっともらってきてほしいんだ」

「どうするの? そんなもの」

西脇《にしわき》は、けげんそうな顔《かお》で二階《にかい》を見上《みあ》げた。

「もうすぐ、柿沼《かきぬま》の居場所《いばしょ》がわかるはずなんだ」

「ほんと?」

西脇《にしわき》は、信《しん》じられないという顔《かお》をした。

「ほんとさ。だけど、人間《にんげん》じゃ場所《ばしょ》はわかっても、中《なか》へ入《はい》らなけりゃわかんないでしょう。だから、そいつを犬《いぬ》に嗅《か》がせて捜《さが》すんですよ」

「そうか。いいこと考《かんが》えたわね。でも、犬《いぬ》はどこにいるの?」

「ここにいるよ。すげえのが」

「へえ、おどろいたわね」

西脇《にしわき》の髪《かみ》が風《かぜ》に揺《ゆ》れて額《ひたい》にかかった。

「ほんとは、純子《じゅんこ》に持《も》ってきてくれって頼《たの》んだんだけど、あいつ忘《わす》れちゃったんすよ」

「橋口《はしぐち》さんのお母《かあ》さんに会《あ》えばわかるの？」

「ちゃんと話《はなし》はついてるから、黙《だま》ってわたしてくれるはずです」

「いいわ。持《も》ってきてあげる」

「サンキュー。十時半《じゅうじはん》までに、学校《がっこう》の隣《となり》の児童公《じどうこう》園《えん》に持《も》ってきてほしいんだけど、いい？」

「あんなところに、どうして持《も》って行《い》くの？」

「秘密《ひみつ》の抜《ぬ》け穴《あな》があってね。おれたちはそこで待《ま》ってるんだ」

英治《えいじ》が言《い》った。

「へえ……」

西脇《にしわき》は、呆《あき》れたように英治《えいじ》を見上《みあ》げた。

「ついでに、もう一《ひと》つ頼《たの》みがあるんだけど」

「なによ？」

「そこには自動車《じどうしゃ》で来《き》てくんないかな。柿沼《かきぬま》のいるところまでつれて行《い》ってほしいんだよ」

「あなたたちにはかなわないわね。でも、場所《ばしょ》はわかるの？」

「いまはわかんないけど、十一時《じゅういちじ》までには、女子《じょし》がきっと見《み》つけ出《だ》すはずなんだ」

「やるわね。あなたたち」

「言《い》っとくけど、これはオフレコだからね」

「わかってるわよ。あ、だれかくるから私《わたし》は行《い》くわよ」

西脇《にしわき》は、運転席《うんてんせき》へからだを入《い》れたかと思《おも》うと、すごい勢《いきお》いで発進《はっしん》させた。

「おい、あれは校長《こうちょう》と教頭《きょうとう》だぜ」

相原《あいはら》に言《い》われるまでもなく、英治《えいじ》も、一目見《ひとめみ》ただけでそうだと思《おも》った。ハゲ、チビ、デブの榎本《えのもと》と、電信柱《でんしんばしら》みたいにひょろ長《なが》い丹羽《にわ》である。見《み》まちがうはずがない。

丹羽《にわ》は、大股《おおまた》でゆっくりあるいているのに、短《たん》

足《そく》の榎本《えのもと》の方《ほう》は半分《はんぶん》駆《か》け足《あし》である。正門《せいもん》の前《まえ》まで
やってきたときは、苦《くる》しそうに肩《かた》で息《いき》をしながら、
顔《かお》をハンカチで拭《ふ》いた。
「諸君《しょくん》、元気《げんき》か？」
息《いき》を喘《あえ》がせながら言《い》った。
「それはこっちが聞《き》きたいぜ」
安永《やすなが》が言《い》った。
「ありがとう。私《わたし》は大丈夫《だいじょうぶ》だ。熱《ねつ》が出《で》たり、腹《はら》
をこわした者《もの》はおらんか？」

「偽善者《ぎぜんしゃ》ぶらずに、何《なに》しに来《き》たのか早《はや》く言《い》えよ」

「私《わたし》は君《きみ》たちの様子《ようす》を見《み》に来《き》たのだ。心配《しんぱい》だからな」

「ちがう。女子生徒《じょしせいと》がいるかどうか、探《さぐ》りに来《き》たんだろう？」

「そうか、やっぱりいるんだな」

「いねえよ」

「じゃ、中《なか》を見《み》せたまえ」

「いいよ。だけど、きょうはだめだ」

相原《あいはら》がきっぱりと言《い》った。

「どうして、きょうだといけないんだ？」

榎本《えのもと》は、やっと動悸《どうき》がおさまったらしい。

「きょうだと準備《じゅんび》ができないのさ」

「準備《じゅんび》ってなんのことだ？」

「せっかくきてくれるんだから、歓迎《かんげい》したいんだよ」

「ほう、なかなか感心《かんしん》なことを言《い》うじゃないか」

榎本《えのもと》は頬《ほお》をゆるめた。

「そうさ。楽《たの》しみにしてくれよ」

「わかった。では、あす出直《でなお》すことにしよう」

「あした、また入《い》れないなんてことはないだろうな？」

丹羽《にわ》が念《ねん》を押《お》した。

「子《こ》どもは信《しん》ずることさ」

「わかった。時間《じかん》は何時《なんじ》だ？」

「十時《じゅうじ》。一分《いっぷん》でもおくれたら入《い》れないよ」

「よろしい。ところで、君《きみ》たちに言《い》いたいことがある」

榎本《えのもと》は、額《ひたい》の汗《あせ》を拭《ふ》いた。

「わかってるよ。出《で》てこなけりゃ、警官《けいかん》を呼《よ》ぶってんだろう」

「どうして、そんなことを知《し》っとるんだ?」

榎本《えのもと》は、丹羽《にわ》と顔《かお》を見合《みあ》わせた。

「おれたちって、おとなの考《かんが》えてること、なんでもわかっちゃうんだ。ついでに言《い》っとくけど、女子《じょし》はきょうの午後《ごご》には家《いえ》に帰《かえ》ってきて、柿沼《かきぬま》は見《み》つかるぜ」

「いい加減《かげん》なことを言《い》うな」

「いい加減《かげん》なことじゃないさ。あんたたちにまかしといたら、柿沼《かきぬま》が殺《ころ》されちゃうから、おれたちで見《み》つけることにしたんだよ」

「ばかなこと考《かんが》えるのはよしたまえ。そういうことは、警察《けいさつ》にまかせておけばいいんだ。君《きみ》たちは……」

「親《おや》やセン公《こう》の言《い》うことを聞《き》いて、勉強《べんきょう》すればいいって言《い》いたいんだろう。言《い》いたいことはわかってるんだから、もう帰《かえ》ってくんないかな。おれたち、いまからおやつの時間《じかん》なんだ」

相原《あいはら》は、それだけ言《い》うと、二階《にかい》の窓《まど》から首《くび》をひっこめた。

「さあ、西瓜《すいか》を食《く》いに行《い》こうぜ」

非常階段《ひじょうかいだん》に飛《と》び出《だ》すと、広場《ひろば》の真《ま》ん中《なか》に西瓜《すいか》を三つ並《なら》べて、安永《やすなが》がナイフで切《き》ろうとしているのが見《み》えた。そのまわりをみんなが取《と》り巻《ま》いている。

「おーい、おれたちの分《ぶん》もちゃんと残《のこ》しとけよ」

英治《えいじ》は、一散《いっさん》に非常《ひじょう》階段《かいだん》を駆《か》けおりた。

3

英治《えいじ》は、マンホールの蓋《ふた》を少《すこ》し持《も》ちあげて外《そと》を見《み》た。児童公園《じどうこうえん》に人影《ひとかげ》はない。

「だれもいねえ。出《で》ようぜ」

英治《えいじ》は、俊郎《としろう》とタローをまず外《そと》に出《だ》した。それから、英治《えいじ》、安永《やすなが》とマンホールから出《で》た。

暗《くら》い地下道《ちかどう》から急《きゅう》に明《あか》るいところに出《で》たので、眩《まぶ》しくて目《め》があけていられない。

「まず、からだを洗《あら》えよ」

走《はし》り出《だ》す俊郎《としろう》に言《い》った。地下道《ちかどう》を歩《ある》くのも二回《にかい》目《め》なので、こんどは意外《いがい》に早《はや》く来《こ》れた。約束《やくそく》の十時半《じゅうじはん》にはまだ五分《ふん》もある。

解放区《かいほうく》を出《で》るとき、瀬川《せがわ》が、

「敵《てき》は何人《なんにん》いるかわからねえから、絶対無理《ぜったいむり》するなよ」

と忠告《ちゅうこく》してくれた。しかし、やっと出番《でばん》のまわってきた俊郎《としろう》は、手《て》のつけられないくらいはしゃいでいる。腕力《わんりょく》に自信《じしん》のある安永《やすなが》も、犯人《はんにん》を見《み》つけたら、ただではすまさねえと張《は》り切《き》っている。

どういうことになるのか、英治《えいじ》は心配《しんぱい》だった。

下水道《げすいどう》で一度《いちど》も転《ころ》ばなかったので、顔《かお》と手足《てあし》を洗《あら》うと臭《くさ》みはすっかり消《き》えた。いつもだったら、子《こ》どもたちが遊《あそ》んでいる児童公園《じどうこうえん》も、真昼《まひる》のこの暑《あつ》さでは、遊《あそ》びに来《く》る者《もの》もいない。

十時半《じゅうじはん》きっかりに、西脇《にしわき》のファミリアが公園《こうえん》の脇《わき》に停《と》まった。

三人《さんにん》は、ファミリアに向《む》かって走《はし》った。

それを見《み》つけてドアーをあけた。助手席《じょしゅせき》に俊郎《としろう》と

タロー、リアシートに安永《やすなが》と英治《えいじ》が転《ころ》げこむよう

にして乗《の》った。西脇《にしわき》が

「OK《オーケー》。行《い》き先《さき》はN《エヌ》橋《はし》」

車《くるま》は発進《はっしん》した。西脇《にしわき》は前方《ぜんぽう》に目《め》を凝《こ》らしながら、

紙袋《かみぶくろ》を隣《となり》の俊郎《としろう》にわたした。

「柿沼君《かきぬまくん》の運動靴《うんどうぐつ》と帽子《ぼうし》。それにマンガの本《ほん》」

俊郎《としろう》は、まず帽子《ぼうし》をタローの鼻先《はなさき》に持《も》ってゆき、それを十分《じゅうぶん》嗅《か》がせてから、つぎは運動靴《うんどうぐつ》、マンガと順《じゅん》に嗅《か》がせた。

「そんなことでわかるの？」

「わかるさ。一〇〇《ひゃく》メートルまで近《ちか》づければ完璧《かんぺき》だよ」

俊郎《としろう》は自信満々《じしんまんまん》である。

「柿沼君《かきぬまくん》見《み》つけたらどうするの？」

「解放区《かいほうく》へつれて行《い》くんです」

「お父《とう》さんとお母《かあ》さんに知《し》らせてあげないの？」

「知《し》らせないよ」

「だって心配《しんぱい》してるわよ」

「そんなの、おとなの勝手《かって》さ。柿沼《かきぬま》を助《たす》けたら、つぎは犯人《はんにん》をつかまえるんだ」

「よしなさい。もし向《む》こうが凶器《きょうき》を持《も》っていたらどうするの？　警察《けいさつ》にまかせなさい」

「こいつは、おれたちだけで全部《ぜんぶ》とりしきるのさ。

これがあるから大丈夫《だいじょうぶ》だよ」

安永《やすなが》は、おもちゃのピストルを西脇《にしわき》のこめかみにあてた。

「何《なに》をするの？」

西脇《にしわき》が悲鳴《ひめい》をあげた。

「おもちゃだけど、本物《ほんもの》らしく見《み》えるだろう？」

「おどかさないでよ。交通事故《こうつうじこ》おこすじゃないの」

急停車《きゅうていしゃ》したので、英治《えいじ》は前《まえ》につんのめって、西《にし》脇《わき》の頬《ほお》に顔《かお》がくっつきそうになった。いい匂《にお》いがした。

「先生《せんせい》って、いい匂《にお》いだな」

「あなたたち、ちょっと臭《くさ》いわよ」

「そりゃそうすよ。ドブの中《なか》を歩《ある》って来《き》たんだから」

「でも、からだは毎日《まいにち》洗《あら》ってるよ」

俊郎《としろう》が言《い》った。

「どうやって？」

西脇《にしわき》が聞《き》いた。

「消火栓《しょうかせん》の水《みず》を噴水《ふんすい》みたいにしてさ。それをみんなでかぶるんだよ。おもしろいぜ」

「そう……。先生《せんせい》もやってみたいな」

「女《おんな》はだめさ」

「あら、どうして？」

「だって、おっぱいが見《み》えちゃやまずいよ」

西脇《にしわき》は、信号《しんごう》の一区間《いっくかん》笑《わら》いつづけた。

「あなた、まだ小学生《しょうがくせい》でしょう。どうしてあそこにいるの？」

「佐竹《さたけ》の弟《おとうと》で俊郎《としろう》っていうんだよ。この犬《いぬ》、こいつの言《い》うことしか聞《き》かないから、特別《とくべつ》に参加《さんか》させたのさ」

「へえ、すごいのね」

西脇《にしわき》があんまり感心《かんしん》するので、俊郎《としろう》は、「それほどでもないさ」と照《て》れた。

車《くるま》は、英治《えいじ》の指示《しじ》で何度《なんど》か角《かど》を曲《ま》がって、ようやく純子《じゅんこ》が言《い》った、小《ちい》さな児童公園《じどうこうえん》が見《み》つかった。

「先生《せんせい》、ここで待《ま》っていてくれないかな」

「いいわよ。この近《ちか》くに柿沼君《かきぬまくん》はいるの？」

「そのはずなんだけど……。柿沼《かきぬま》を助《たす》けたら、わるいけどさっきのところまでつれてってくれる？」

「OK《オーケー》。なんだか私《わたし》も、あなたたちの仲間《なかま》みたいな気持《きも》ちになってきたわ」

西脇《にしわき》の表情《ひょうじょう》からおとなっぽさが消《き》えて、目《め》がきらきらと輝《かがや》きはじめた。

三人《さんにん》とタローは車《くるま》の外《そと》へ出《で》た。児童公園《じどうこうえん》にはだ

れもいないと思《おも》ったら、だしぬけに中山《なかやま》ひとみが、

「こんちは」と姿《すがた》をあらわした。

「ついてきて」

ひとみは、三人《さんにん》の前《まえ》を足早《あしばや》に歩《ある》く。角《かど》を曲《ま》がっ
たところに喫茶店《きっさてん》があった。

「ここに純子《じゅんこ》と久美子《くみこ》がいるわ」

ひとみにつづいて三人《さんにん》が入《はい》ろうとしたとき、

「坊《ぼう》や、犬《いぬ》は困《こま》るな」

と主人《しゅじん》らしい男《おとこ》が俊郎《としろう》に言《い》った。安永《やすなが》が文句《もんく》を言《い》

いかけると、

「ぼくは、さっきの公園《こうえん》にいるからいいよ」

と俊郎《としろう》は言《い》って戻《もど》って行《い》った。

席《せき》に座《すわ》った安永《やすなが》は、持《も》ってきた紙袋《かみぶくろ》から、くたびれたジャケットを取《と》り出《だ》して着《き》た。

「安永君《やすながくん》。なによ、そのかっこう」

久美子《くみこ》は、安永《やすなが》を見《み》るなり口《くち》を押《お》さえて笑《わら》い出《だ》した。

「やっぱな」

「だけど、それはあんまりひど過《す》ぎるよ」

純子《じゅんこ》まで笑《わら》い出《だ》したので安永《やすなが》はくさった。

「しかたねえだろう。瀬川《せがわ》のじいさんが、どこから拾《ひろ》ってきたんだから」

「こんなところで、のんびりしてていいのか?」

英治《えいじ》は純子《じゅんこ》に言《い》った。

「のんびりなんかしてないよ。こう見《み》えたって見《み》張《は》ってるんだからね」

「何《なに》を……?」

「あれさ」

純子《じゅんこ》は、道路《どうろ》の向《む》こう側《がわ》を指《ゆび》さした。

「あれじゃわかんねえよ」

「あそこに、二階建《にかいだ》てのアパートが見《み》えるでしょう？」

「見《み》える。壁《かべ》がはげたアパートだろう」

「そうよ」

「あそこに柿沼《かきぬま》がいるってのか？」

純子《じゅんこ》は、黙《だま》って大《おお》きくうなずいた。

「なぜあのアパートにいるのか、理由《りゆう》を聞《き》きたいでしょう？」

「聞《き》きたい」

「まず、あのアパートと児童公園《じどうこうえん》の距離《きょり》は、間《あいだ》に家《いえ》が一軒《いっけん》あるだけ。それから、反対側《はんたいがわ》の横町《よこちょう》には、バーと飲《の》み屋《や》が並《なら》んでるわ」

「だけど、清掃工場《せいそうこうじょう》は、ここから見《み》えねえじゃんか」

英治《えいじ》は、窓《まど》の外《そと》を眺《なが》めまわしながら言《い》った。

「そうよ。だから、私《わたし》たちもあそこじゃないと思《おも》ったのよ。ところがちがうんだな」

純子《じゅんこ》は久美子《くみこ》と顔《かお》を見合《みあ》わせて微笑《わら》った。

「じらさずにおしえてくれよ」

「あのアパート二階建《にかいだ》てでしょう。私《わたし》、あの鉄《てつ》階段《かいだん》を上《のぼ》って二階《にかい》へ行《い》ったのよ。そうしたら、建《たて》物《もの》の間《あいだ》から清掃工場《せいそうこうじょう》の煙突《えんとつ》が、バッチシ見《み》えたじゃん、嬉《うれ》しくなっちゃったよ」

「ほかに、そういうところないのか？」

「私《わたし》たち二十人全員《にじゅうにんぜんいん》で、この近《ちか》くは徹底的《てっていてき》に歩《ある》いたんだけど、あそこみたいに、ぴったり合《あ》うところはないよ。でも、念《ねん》のため、ほかに二《に》か所《しょ》ほど見張《みは》ってるけどね」

「さすが……」

「だけど、あのアパートには部屋《へや》が下《した》に六《むっ》つ、上《うえ》に六つあるのよ」

「住《す》んでるのはだれだ？」

「サラリーマンみたい」

「下《した》は清掃工場《せいそうこうじょう》が見《み》えねえんだから上《うえ》だな」

「そうなのよ。それはいいんだけど、犯人《はんにん》らしい男《おとこ》が出《で》てきたとしても、どこの部屋《へや》から出《で》てきたかがわからないじゃん」

「外《そと》から見《み》えねえのか？」

「二階《にかい》まで上《あ》がらなくちゃ見《み》えないのよ」

「そんなの問題《もんだい》じゃねえさ」

「どうして？」

「そういうこともあるんじゃねえかと思《おも》って、タローをつれてきたんだ。ちゃんと柿沼《かきぬま》の靴《くつ》のにおいを覚《おぼ》えさせたから、柿沼《かきぬま》の部屋《へや》につれて行《い》ってくれるさ」

「あ、いけない。私《わたし》、靴《くつ》を届《とど》けるの忘《わす》れた」

「そうさ。だから西脇先生《にしわきせんせい》に頼《たの》んで、君《きみ》のおふくろのところまで取《と》りに行《い》ってもらったんだぜ」

「ほんと？　ごめんなさい」

「そのかわり、おれたちも先生《せんせい》の車《くるま》でここまで送《おく》ってもらったんだ」

「ずるい、ずるい。男子《だんし》ばかり西脇先生《にしわきせんせい》と仲《なか》よくしちゃ」

純子《じゅんこ》は、だだをこねるように言《い》った。

「先生《せんせい》は公園《こうえん》のところにいるさ」

「きゃあ」

二人《ふたり》は抱《だ》き合《あ》って喜《よろこ》んでいる。女《おんな》というのは、どうしてこんなにオーバーなのか英治《えいじ》にはわからない。

「柿沼《かきぬま》を助《たす》け出《だ》したら、例《れい》のマンホールまでつれて行《い》ってもらうのさ」

「そういうことか……」

「犯人《はんにん》の姿《すがた》は見《み》たのか？」

「まだ見《み》てないよ」

「じゃあ、一人《ひとり》か二人《ふたり》かわかんねえな？」

「うん。だけど、そんなにたくさんはいないと思《おも》うよ。だって、あのアパートは六畳《ろくじょう》一間《ひとま》で、キッチンもトイレもないんだから」

「じゃ、電話《でんわ》もないな」

「もちろんよ。だから、十一時《じゅういちじ》になったら、きっと電話《でんわ》しに出《で》てくるわよ。それが犯人《はんにん》にまちがいないわ」

純子《じゅんこ》の論理《ろんり》は明快《めいかい》である。英治《えいじ》は感心《かんしん》した。

「もうすぐ十一時《じゅういちじ》だから、そろそろ児童公園《じどうこうえん》に行《い》くか。佐竹《さたけ》の弟《おとうと》がタローと待《ま》っているんだ」

もし、あのアパートに柿沼《かきぬま》が監禁《かんきん》されていなかったらどうなるんだ？　英治《えいじ》は急《きゅう》に心配《しんぱい》になってきたが、この二人《ふたり》を信用《しんよう》して、そのことは考《かんが》えまいと思《おも》った。

久美子《くみこ》は、伝票《でんぴょう》をつかんで立《た》ち上《あ》がった。

「おれたち、金《かね》は持《も》ってねえぜ」

「まかしときなって」

久美子《くみこ》は、気《き》っぷのいいところを見《み》せた。

「ねえ、安永君《やすながくん》、どうしてそんなチンケなかっこうしてきたの?」

表《おもて》に出《で》ると、久美子《くみこ》が安永《やすなが》に聞《き》いた。

「ガキに見《み》せねえためさ」

「どうして？」

「ガキじゃ、犯人《はんにん》がなめるだろう」

「そういえばそうだね。オトシマエつけるの？」

「もちろんさ」

「じゃ、あたしにもやらせて。カミソリくらい持《も》ってるよ」

「じゃあ、二人《ふたり》でやるか」

「やろうよ。あたし、このごろいい子《こ》ちゃんしてるじゃん。欲求不満《よっきゅうふまん》なんだ」

「おれもさ」

4

十一時三分前《じゅういちじさんぷんまえ》。

「もしもし、ナンバー7からナンバー1へ。どうぞ」

『こちらナンバー1、どうぞ』

「いま、犯人《はんにん》らしい男《おとこ》がアパートから出《で》てきた。電話《でんわ》をしに行《い》くつもりらしい。われわれは、いまから救出作戦《きゅうしゅつさくせん》に向《む》かう。どうぞ」

『了解《りょうかい》。成功《せいこう》を祈《いの》る』

英治《えいじ》は、トランシーバーを純子《じゅんこ》にわたすと、車《くるま》の外《そと》に出《で》た。男《おとこ》の姿《すがた》はすでに見《み》えない。

タローに引《ひ》きずられるようにして、俊郎《としろう》は小走《こばし》りになった。そのあとに安永《やすなが》、英治《えいじ》とつづく。

タローは、ためらわずにアパートまで行《い》くと、鉄《てつ》の階段《かいだん》を上《のぼ》る。二階《にかい》の廊下《ろうか》には人影《ひとかげ》もなく、静《しず》まりかえっている。どの部屋《へや》も見向《みむ》きもしない。

いちばん奥《おく》まで走《はし》って、ドアーを前足《まえあし》でかいた。

「ここだよ。まちがいないよ」

俊郎《としろう》が言《い》った。英治《えいじ》は木《き》のドアーをノックする。中《なか》から答《こた》えはない。ノブをひねったがあかない。

「いいから、こわしちまえよ」

安永《やすなが》が言《い》った。

「隣《となり》に人《ひと》がいるかどうか見《み》てきてくれよ」

英治《えいじ》が言《い》うと、安永《やすなが》は、隣《となり》の部屋《へや》のドアーをノックした。

「だれもいねえ」

英治《えいじ》はポケットからドライバーを出《だ》すと、それを隙間《すきま》に突《つ》っ込《こ》んでこじあけた。木《き》がめりめりと裂《さ》ける音《おと》がする。安永《やすなが》が、ドアーを思《おも》い切《き》り引《ひ》っ張《ぱ》った。

開《あ》いた。

タローが真《ま》っ先《さき》に飛《と》びこんだ。三人《さんにん》がそのあとにつづいて、土足《どそく》のまま部屋《へや》にあがる。調度品《ちょうどひん》は何《なに》もない。タローは、押入《おしい》れの前《まえ》でうなり声《ごえ》をあげている。

隅《すみ》に、英治《えいじ》は押入《おしい》れをあけた。

両手両足《りょうてりょうあし》をしばられ、口《くち》にガムテープをはられた柿沼《かきぬま》がころがっていた。引《ひ》っ張《ぱ》りだすと、目《め》をしょぼしょぼさせた。

「お前《まえ》、ロープを切《き》ってくれ」

英治《えいじ》は安永《やすなが》にそう言《い》っておいて、ガムテープを引《ひ》きはがした。

「痛《いて》えッ」

安永《やすなが》が、ナイフで器用《きよう》にロープを切《き》った。柿沼《かきぬま》は、両手《りょうて》と両足《りょうあし》を動《うご》かした。口《くち》をぱくぱくさせているのだが、最初《さいしょ》の悲鳴《ひめい》以外《いがい》は言葉《ことば》にならない。

「お前《まえ》、言葉《ことば》を忘《わす》れちまったのか？」

英治《えいじ》が聞《き》いた。

「ちがうよ。口《くち》が動《うご》かねえんだ」

中気《ちゅうき》の老人《ろうじん》みたいなしゃべり方《かた》だ。思《おも》わず笑《わら》ってしまった。

「立《た》ってみろ。歩《ある》けるか？」

「大丈夫《だいじょうぶ》だ」

柿沼《かきぬま》は、最初《さいしょ》ちょっとよろめいたが、すぐ普通《ふつう》に歩《ある》き出《だ》した。

「やっぱ、外《そと》はいいなあ」

廊下《ろうか》に出《で》ると、柿沼《かきぬま》は空《そら》を仰《あお》いで感激《かんげき》している。

「早《はや》く行《い》こうぜ」

英治《えいじ》はせかした。

「おれの暗号《あんごう》、解《と》いてくれたんだな」

「あんなもの簡単《かんたん》さ、なにしろ中尾《なかお》がいるからな。

だけど、ここを捜《さが》すのは苦労《くろう》したぜ。といっても
おれたちじゃねえ。女子《じょし》が全員《ぜんいん》で捜《さが》してくれたん
だ」
「ほんとうか？」
「あの車《くるま》の中《なか》で、純子《じゅんこ》と久美子《くみこ》が待《ま》ってるぜ」
英治《えいじ》は、公園《こうえん》の脇《わき》に停《と》まっているファミリアを
指《ゆび》さした。
「そうか……。あれ、だれの車《くるま》だ？」
「西脇先生《にしわきせんせい》のさ。あの車《くるま》でお前《まえ》は解放区《かいほうく》へ行《い》くん

だ。いいだろう?」

「もちろんさ」

柿沼《かきぬま》は、ようやく元気《げんき》のいい声《こえ》を出《だ》した。

「みんな、お前《まえ》がくるのを待《ま》ってるぜ」

「ありがとう」

「お礼《れい》なんか言《い》うなよ。友《とも》だちじゃねえか。水《みず》くせえぞ」

安永《やすなが》が、おこったような声《こえ》で言《い》った。

柿沼《かきぬま》をファミリアに押《お》しこむと、純子《じゅんこ》と久美子《くみこ》が、両側《りょうがわ》からかじりついた。

「柿沼君《かきぬまくん》、よかったね」

「ありがとう。みんなのおかげだよ」

とたんに二人《ふたり》は火《ひ》がついたように泣《な》き出《だ》した。

「女《おんな》ってのは、これだからなあ」

安永《やすなが》は、ポケットに両手《りょうて》をつっこんで、石《いし》を蹴《け》った。そのしぐさが、英治《えいじ》にはとてもおとなっぽく見《み》えた。

英治《えいじ》は、純子《じゅんこ》が持《も》っているトランシーバーを取《と》りあげた。

「こちら、ナンバー7。聞《き》こえてますか？　どうぞ」

『聞《き》こえてます。どうぞ』

「トラ・トラ・トラ。どうぞ」

これは、作戦《さくせん》が成功《せいこう》したときの暗号《あんごう》だ。

『やったあ！　すげえぞ』

「では、われわれは作戦《さくせん》パート2にとりかかる。

ナンバー6は、われわれといっしょに帰《かえ》る」

『了解《りょうかい》。では、ふたたび成功《せいこう》を祈《いの》る』

英治《えいじ》は、トランシーバーをオフにした。

「久美子《くみこ》、もういい加減《かげん》にしろ。次《つぎ》の仕事《しごと》にかかるぞ」

安永《やすなが》は、窓《まど》に顔《かお》をつっこんでどなってから、

「じゃあ先生《せんせい》。おれたちは、ちょっとひと仕事《しごと》してくるから、まっててくんねえかな」

と窓《まど》を手《て》でたたいた。西脇《にしわき》がうなずいた。

「あっ、さっきの奴《やつ》が帰《かえ》ってきた」

俊郎《としろう》が言《い》った。男《おとこ》の年齢《ねんれい》は英治《えいじ》の父親《ちちおや》くらいだ

が、紺色《こんいろ》のあせたポロシャツを着《き》て、まるで元気《げんき》のない足取《あしど》りだ。

「あれが誘拐犯人《ゆうかいはんにん》か?」

安永《やすなが》は、信《しん》じられないという顔《かお》をした。

「あれしかいないよ」

久美子《くみこ》も、なんとなく気《き》の抜《ぬ》けた声《こえ》を出《だ》した。

「行《い》こうぜ」

安永《やすなが》を先頭《せんとう》にして、俊郎《としろう》、タロー、英治《えいじ》、久美《くみ》子《こ》とつづいた。

「部屋《へや》に入《はい》るまで、タローをけしかけるなよ」

英治《えいじ》は、俊郎《としろう》に言《い》い聞《き》かせた。男《おとこ》が後《うし》ろを振《ふ》り向《む》いた。わるい顔色《かおいろ》だ。痩《や》せて、背中《せなか》が丸《まる》くなっている。

「あれじゃ、一発《いっぱつ》でKO《ケーオー》だぜ」

安永《やすなが》は、久美子《くみこ》の顔《かお》を見《み》て、にやりとわらった。

男《おとこ》は、アパートの階段《かいだん》をのぼりはじめる。のぼりきるのを見定《みさだ》めてから、四人《よにん》が駆《か》け上《あ》がった。

廊下《ろうか》の端《はし》に男《おとこ》の姿《すがた》が見《み》えた。こわれたドアーを見《み》て、立《た》ちすくんでいる。英治《えいじ》は、俊郎《としろう》に向《む》かってうなずいた。

「タロー、ゴー」

タローが走《はし》る。そのあとを四人《よにん》が追《お》う。タローは、あいたドアーから逃《に》げこんだ男《おとこ》の部屋《へや》の中《なか》へ飛《と》びこむや否《いな》や、男《おとこ》に襲《おそ》いかかって、床《ゆか》に押《お》し倒《たお》していた。

「助《たす》けてくれ」

男《おとこ》が悲鳴《ひめい》をあげた。誘拐犯人《ゆうかいはんにん》が助《たす》けてくれというのはおかしい。英《えい》治《じ》は、安永《やすなが》と顔《かお》を見合《みあ》わせて、思《おも》わず笑《わら》ってしまった。

「もっとやらせるの？　死《し》んじゃうかもよ」

俊郎《としろう》が英治《えいじ》の顔《かお》を見《み》た。

「やめさせろよ」

「タロー、ストップ」

俊郎《としろう》が言《い》うと、タローはぴたりと攻撃《こうげき》をやめた。

「君《きみ》たちは、いったいだれだ？」

男《おとこ》は、タローを横目《よこめ》で見《み》ながら言《い》った。

「あんたを捜《さが》して、ここまでやってきたのさ。苦《く》労《ろう》したよ」

久美子《くみこ》は、男《おとこ》の目《め》の前《まえ》にカミソリの刃《は》をちらつかせた。

「もう、おれたちが何《なに》しにやってきたかわかっただろう」

安永《やすなが》がポケットからおもちゃのピストルを出《だ》した。

「君《きみ》たち、乱暴《らんぼう》なまねはやめたまえ」

男《おとこ》の目《め》が恐怖《きょうふ》でひきつっているように見《み》える。

「ふざけちゃいけないよ。乱暴《らんぼう》したのはそっちじゃねえか？」

「あんた、よくもあたしのダチをかわいがってくれたね」

久美子《くみこ》が、カミソリの刃《は》で男《おとこ》の顔《かお》をなぜた。赤《あか》い糸《いと》のような線《せん》がみるみる太《ふと》くなってゆく。男《おとこ》はそれを手《て》でなぜてから、

「たのむ。殺《ころ》すのだけはやめてくれ」

と手《て》を合《あ》わせた。

「おっさん、子《こ》どもを誘拐《ゆうかい》するなんて、やり方《かた》が汚《きた》ねえぜ、オトシマエだけはつけさせてもらうからな」

「何《なに》をするんだ?」

この男《おとこ》、誘拐犯人《ゆうかいはんにん》のくせに、まるで意気地《いくじ》がない。

「久美子《くみこ》、ケリを入《い》れてやれ」

「あたしのケリは、ちょっとばかり効《き》くよ。おっさん立《た》ちなよ」

男《おとこ》がのろのろと立《た》ち上《あ》がったとたん、久美子《くみこ》の長《なが》い足《あし》が男《おとこ》の股間《こかん》に飛《と》んだ。男《おとこ》はうッとうめき声《ごえ》を出《だ》して股間《こかん》を押《お》さえ、そのまま、ずるずると座《すわ》りこんでしまった。

「男《おとこ》ってもろいね。女《おんな》じゃこうはいかないよ」

久美子《くみこ》は、軽蔑《けいべつ》したように男《おとこ》を見《み》おろした。

「こんどはおれの番《ばん》だ。立《た》ちな」

「勘弁《かんべん》してくれ」

男《おとこ》は手《て》を合《あ》わせた。

「菊地《きくち》、こいつを立《た》たせろ」

英治《えいじ》は、男《おとこ》のうしろにまわると、脇《わき》の下《した》に手《て》を入《い》れて男《おとこ》を立《た》たせた。やけに軽《かる》い。安永《やすなが》が男《おとこ》のボディーにパンチを入《い》れた。一発《いっぱつ》、二発《にはつ》。急《きゅう》に男《おとこ》のからだが重《おも》くなった。手《て》を離《はな》すと、畳《たたみ》にくずおれてしまった。

「さあ、行《い》こうぜ」

「どこへ？　警察《けいさつ》か？」

男《おとこ》の声《こえ》がふるえている。

「ポリ公《こう》にはわたさねえ」

「じゃ、どこへ行《い》くんだ？」

「地獄《じごく》さ」

安永《やすなが》は暗《くら》い声《こえ》で言《い》った。

「すまない。おれがわるかった。このとおりだ」

男《おとこ》は、頭《あたま》を畳《たたみ》にすりつけた。

「とにかくきなよ。でないと、ここで死《し》んでもらうことになるぜ」

安永《やすなが》は、ピストルを男《おとこ》の鼻先《はなさき》につきつけた。男《おとこ》は、腹《はら》を押《お》さえてよろよろと立《た》ち上《あ》がった。英治《えいじ》は、なんだか男《おとこ》がかわいそうになった。

——こんな悪《わる》い奴《やつ》になぜだろう。

自分《じぶん》でもわからなかった。

5

誘拐犯人《ゆうかいはんにん》からの電話《でんわ》は、十一時《じゅういちじ》ちょうどにかかってきた。

「正午《しょうご》。N《エヌ》橋《はし》の近《ちか》くにある喫茶店《きっさてん》『ソレイユ』に、千七百万円《せんななひゃくまんえん》持《も》ってこい。父親《ちちおや》か母親《ははおや》のどちらか一人《ひとり》だ」

電話《でんわ》はそれだけで切《き》れてしまったので、逆探知《ぎゃくたんち》することはできなかった。

喫茶店《きっさてん》に来《こ》いというのは、おそらくそこに電話《でんわ》がかかってきて、別《べつ》の場所《ばしょ》を指示《しじ》するということにちがいない。

N《エヌ》橋《はし》の近《ちか》くというのは、川《かわ》を利用《りよう》して身代金《みのしろきん》を奪《うば》うということも考《かんが》えられる。

母親《ははおや》の奈津子《なつこ》は、テレビだったか実際《じっさい》の事件《じけん》だったか忘《わす》れたが、身代金《みのしろきん》を高速道路《こうそくどうろ》から下《した》の一般道路《いっぱんどうろ》に投《な》げるというケースがあったことを思《おも》い出《だ》した。

それに対《たい》して杉崎警部《すぎざきけいぶ》は、

「N橋《エヌはし》の近《ちか》くというと、すぐ荒川《あらかわ》を連想《れんそう》しますが、隅田川《すみだがわ》のO橋《オーはし》も、『ソレイユ』からだと、せいぜい三〇〇《さんびゃく》メートルくらいの距離《きょり》です。N橋《エヌはし》と見《み》せかけて、O橋《オーはし》から投《な》げさせるということも十分《じゅうぶん》考《かん》えられます」

と言《い》った。さすがプロである。そこまで考《かん》えていてくれるなら大丈夫《だいじょうぶ》だと、奈津子《なつこ》は安心《あんしん》した。

ただ、父親《ちちおや》の靖樹《やすき》は、

「そんなに警察官《けいさつかん》だらけにしたら、犯人《はんにん》はあらわれないんじゃないですか」

と心配《しんぱい》したが、杉崎《すぎざき》は、犯人《はんにん》には絶対気《ぜったいき》づかせないから大丈夫《だいじょうぶ》だと胸《むね》をたたいた。

靖樹《やすき》は、十一時《じゅういちじ》五十五分《ごじゅうごふん》に『ソレイユ』に着《つ》いた。そこで三十分《さんじっぷん》待《ま》ったが、犯人《はんにん》からの接触《せっしょく》はもちろん、電話《でんわ》ひとつかかってこなかったので、自宅《じたく》にもどってきた。

「犯人《はんにん》は、きっと警官《けいかん》に気《き》づいたにちがいありません。こんなことしていたら、直樹《なおき》の命《いのち》はどうなるんですか？」

靖樹《やすき》の顔《かお》はひきつっている。それを見《み》て奈津子《なつこ》も半狂乱《はんきょうらん》になった。

「おねがいです。警察《けいさつ》は手《て》を引《ひ》いてください」

「奥《おく》さん、もう少《すこ》し冷静《れいせい》に……。犯人《はんにん》は、きっとまた電話《でんわ》してきます」

杉崎《すぎざき》は、汗《あせ》を拭《ふ》き拭《ふ》き奈津子《なつこ》をなだめた。

「直樹《なおき》にもしものことがあったら、警察《けいさつ》はどうやって責任《せきにん》をとるつもりですの？」

奈津子《なつこ》の声《こえ》はひきつっている。

「それは奥《おく》さん無茶《むちゃ》です」

「どうして無茶《むちゃ》なんですか？　あなたはさっきから、警察《けいさつ》にまかせろと言《い》ってるじゃないですか」

「もちろん、警察《けいさつ》は最善《さいぜん》の努力《どりょく》はいたします。しかし、不測《ふそく》の事故《じこ》というものもありますから……」

「その場合《ばあい》は責任《せきにん》負《お》えないというんでしょう。そうなのよ。あなたたちって、最後《さいご》はいつもそうやって逃《に》げるんだから」

「やっぱり、警察《けいさつ》にまかせてはまずかったんだ」

靖樹《やすき》は、天井《てんじょう》の一角《いっかく》をにらんだまま言《い》った。

「お二人《ふたり》とも冷静《れいせい》に。パニックに陥《おちい》っては犯人《はんにん》の思《おも》うつぼです。犯人《はんにん》はまだ身代金《みのしろきん》を受《う》け取《と》っていません。けっして諦《あきら》めません。必《かなら》ず連絡《れんらく》してきます。それを待《ま》ちましょう」

杉崎《すぎざき》は、ぐしょぐしょになったハンカチで額《ひたい》の汗《あせ》を拭《ぬぐ》った。

男《おとこ》は、解放区《かいほうく》の広場《ひろば》の真《ま》ん中《なか》に正座《せいざ》させられ、そのまわりに、子《こ》どもたちが輪《わ》をつくっている。

「顔《かお》をあげなよ」

安永《やすなが》は、手《て》にしたモップの柄《え》で男《おとこ》の顎《あご》を持《も》ちあげた。男《おとこ》は、顔《かお》をあげて空《そら》を見《み》た。太陽《たいよう》が真上《まうえ》にあるので、まぶしそうに目《め》を閉《と》じた。

「名前《なまえ》を言《い》ってもらおうか」

「田中康弘《たなかやすひろ》といいます」

男《おとこ》は、ぼそぼそとつぶやいた。

「なんだか、総理大臣《そうりだいじん》みたいな名前《なまえ》だな」

だれかが言《い》った。英治《えいじ》はとたんに吹《ふ》き出《だ》したく
なったが、ここで笑《わら》っては台無《だいな》しだと思《おも》って、息《いき》
を止《と》めて笑《わら》いをこらえた。

「申《もう》しわけありません」

「年《とし》はいくつだ？」

「四十二《よんじゅうに》の厄年《やくどし》です」

「妻《つま》か子《こ》どもはいるのか？」

安永《やすなが》は、テレビで見《み》た刑事《けいじ》みたいにかっこうつけている。

「いましたが逃《に》げられました」

「いじめたんだろう？」

「ちがいます。私《わたし》がサラ金《きん》から借金《しゃっきん》したからです」

サラ金《きん》という言葉《ことば》は、英治《えいじ》もテレビや新聞《しんぶん》でよく見《み》かける。サラ金《きん》で一家心中《いっかしんじゅう》、強盗《ごうとう》……。

「いくら借《か》りたんだ？」

「千五百万円《せんごひゃくまんえん》です」

「その借金《しゃっきん》を返《かえ》すために、柿沼《かきぬま》を誘拐《ゆうかい》したのか？」

「はい」

「柿沼《かきぬま》に狙《ねら》いをつけたのはなぜだ？」

「家《いえ》に入《はい》るところを見《み》たのです。医者《いしゃ》の息子《むすこ》なら金《かね》があるだろうと思《おも》って、終業式《しゅうぎょうしき》の日《ひ》を狙《ねら》っていました」

「そこまでは上出来《じょうでき》だったよ」

柿沼《かきぬま》が言《い》った。

「すみません。勘弁《かんべん》してください」

男《おとこ》は、コンクリートに両手《りょうて》をついた。

「わるいことをしておいて、すみませんですむなら、警察《けいさつ》はいらねえよ」

「そのとおりです。覚悟《かくご》はできています」

「覚悟《かくご》ってなんだ？　ここで死《し》んで見《み》せるっていうのか？」

こんなところで死《し》なれてはかなわない。英治《えいじ》は、顔《かお》から血《ち》の気《け》が引《ひ》いていくのがわかった。

「いいえ。警察《けいさつ》につれて行《い》ってください」

「おい、みんなどうする?」

安永《やすなが》は、みんなの顔《かお》を見《み》まわした。

「柿沼《かきぬま》に聞《き》こうぜ。どのくらいひどい目《め》にあわされたのか。決《き》めるのはそのあとだ」

相原《あいはら》が言《い》うと、みんながそれに賛成《さんせい》した。

「このおっさん、自分《じぶん》は食《く》わずに、おれにだけはパンと牛乳《ぎゅうにゅう》をくれたんだ」

「ほんとか?」

「はい。もう三日間何《みっかかんなに》も食《た》べていません」

そうか……。それであんなに弱《よわ》かったのだ。

「だれか、食《く》うもの持《も》ってきてやれよ」

相原《あいはら》が言《い》い終《お》わるのを待《ま》たず、宇野《うの》が走《はし》り出《だ》したと思《おも》うと、缶入《かんい》りの牛乳《ぎゅうにゅう》と乾《かん》パン、それにチーズを持《も》ってきて、男《おとこ》の前《まえ》に置《お》いた。

「食《く》いなよ」

相原《あいはら》が言《い》うと、男《おとこ》は、もどかしそうに牛乳《ぎゅうにゅう》の缶《かん》をあけ、音《おと》をたててひと息《いき》に飲《の》み干《ほ》した。

「そんなに金《かね》がないのか？」

「これだけです」

男《おとこ》は、ポケットから十円硬貨《じゅうえんこうか》を五枚取《まいと》り出《だ》して、コンクリートの上《うえ》に置《お》いた。

「これは電話代《でんわだい》としてとっておいたのです」

「どうして、サラ金《きん》からそんなに借《か》りたんだ？」

「私《わたし》はサラリーマンだったんですが、友《とも》だちがサラ金《きん》から金《かね》を借《か》りまして、その保証人《ほしょうにん》になったんです。ところが、そいつが逃《に》げちまいまして、私《わたし》が払《はら》わなけりゃならないことになりました」

男《おとこ》はチーズを口《くち》に入《い》れた。

「といっても、私《わたし》も安《やす》サラリーマン。その金《かね》を返《かえ》すために、別《べつ》のサラ金《きん》から金《かね》を借《か》りました。それが、いつの間《ま》にか雪《ゆき》だるまみたいにふくれあがって、とうとう千五百万円《せんごひゃくまんえん》になっちまったんです」

「そうかあ。友《とも》だちのためにしてやったのかあ」

みんな、しゅんとなって顔《かお》を見合《みあ》わせた。

「柿沼《かきぬま》、このおっさんどうする？　ポリ公《こう》にわたすの、ちょっとかわいそうと思《おも》わねえか？」

相原《あいはら》が柿沼《かきぬま》の顔《かお》を見《み》て言《い》った。

「逃《に》がしてやってもいいよ。話《はなし》を聞《き》いたら、なんだかかわいそうになってきたぜ」

「おれもだ」

安永《やすなが》が気《き》の抜《ぬ》けたような声《こえ》で言《い》った。つづいてみんなが口《くち》ぐちに逃《に》がしてやろうやと言《い》った。

「おっさん、逃《に》がしてやるから、どこでも好《す》きなところへ行《い》っていいぜ。ポリ公《こう》にはおっさんのことはチクらねえから安心《あんしん》しなよ」

「ありがとうございます。ですが私《わたし》は、逃《に》がしていただいても行《い》くところがありません。それに、またサラ金《きん》から追《お》いかけられるくらいなら、刑務《けいむ》所《しょ》にいた方《ほう》がましです。どうぞ警察《けいさつ》に突《つ》き出《だ》してください。もし突《つ》き出《だ》してくださらないんなら、私《わたし》は自首《じしゅ》します」

意外《いがい》な言葉《ことば》に、みんな唖然《あぜん》として男《おとこ》の顔《かお》を見《み》つめた。

「刑務所《けいむしょ》の方《ほう》がいいなんて、あんたも苦労《くろう》したもんだね」

瀬川《せがわ》が言《い》った。

「はい」

男《おとこ》は、はなをすすりあげた。

「みんな、ちょっと聞《き》いてくんないか」

柿沼《かきぬま》が突然《とつぜん》言《い》った。

「さっき相原《あいはら》が言《い》ったところによると、おれんちのおやじは、千七百万円《せんななひゃくまんえん》持《も》って、ソレイユへ出《で》かけたんだろう?」

「うん。ところが犯人《はんにん》から連絡《れんらく》がないんで、いまは家《いえ》へ帰《かえ》って、つぎの連絡《れんらく》を待《ま》ってるらしい」

「そこで考《かんが》えたんだけど」

柿沼《かきぬま》は、深《ふか》く息《いき》を吸《す》いこんだ。

「おれんちなんかさ、セックスの後始末《あとしまつ》しちゃ金《かね》を儲《もう》けてるんだ」

「後始末《あとしまつ》ってなんだ?」

英治《えいじ》が聞《き》いた。

「セックスすりゃ子《こ》どもができるだろう。できたら困《こま》るから、子《こ》どもをおろすじゃんか」

「そういうことか」

子《こ》どもをおろすってのは、人殺《ひとごろ》しではないのかな……。英治《えいじ》はそう思《おも》った。

「そうやって儲《もう》けた金《かね》を、おやじは何《なに》につかってると思《おも》う?」

「なんだよ」

「女《おんな》さ。彼女《かのじょ》がいるんだよ。そいつをマンションに住《す》まわせて、ジャブジャブ金《かね》やってんだ」

「おとなってのは、みんなそんなもんさ」

安永《やすなが》がしたり顔《がお》で言《い》う。

「だから、おやじはおれを取《と》りもどすために、千七百万円《せんななひゃくまんえん》つかうくらいメじゃねえんだ」

「お前《まえ》の言《い》いたいことわかった」

相原《あいはら》が言《い》った。

「あの千七百万円《せんななひゃくまんえん》は、おれたちで奪《と》っちまえばいいんだよ」

英治《えいじ》は、思《おも》わず柿沼《かきぬま》の顔《かお》を見直《みなお》した。

「その金《かね》をどうするんだ?」

「このおっさんにやるのさ」

一瞬《いっしゅん》、沈黙《ちんもく》があたりを支配《しはい》した。やがて、男《おとこ》がすすりあげる声《こえ》がした。

「あなたは、なんということをおっしゃるんですか。あなたの言葉《ことば》は、まるで神《かみ》の言葉《ことば》です。その言葉《ことば》だけでけっこうです。ありがとう。私《わたし》はこれで、さっぱりした気持《きも》ちで警察《けいさつ》へ自首《じしゅ》できます」

男《おとこ》はとうとう、声《こえ》をあげて泣《な》き出《だ》した。

「まいったなあ」

柿沼《かきぬま》は、照《て》れくさそうに頭《あたま》をかいた。

「おっさん誤解《ごかい》してもらっちゃ困《こま》るな。おれは、おやじに復讐《ふくしゅう》してやりたいだけなんだよ」

「よし、やろうぜ。身代金《みのしろきん》はこっちがいただきだ」

安永《やすなが》は、もう千七百万円《まんえん》を手《て》にしたような顔《かお》をしている。

「問題《もんだい》は方法《ほうほう》だな。おっさんは、どうやって手《て》に入《い》れるつもりだったんだ？」

相原《あいはら》は、田中《たなか》に聞《き》いた。

「私《わたし》は、『ソレイユ』に電話《でんわ》して、こういうつもりでした。夜《よる》になったら、警察《けいさつ》には金《かね》の入《はい》っているかばんだと言《い》って、空《から》のかばんを荒川《あらかわ》のN《エヌ》橋《はし》から川《かわ》へ落《お》とす。そうやって、警察《けいさつ》の目《め》をくらましておいてから、往診《おうしん》だと言《い》って、私《わたし》のアパートへ金《かね》を持《も》ってこさせる。私《わたし》は入口《いりぐち》で身代金《みのしろきん》を受《う》け取《と》り、直樹君《なおきくん》は解放《かいほう》する」

「それじゃ、ポリ公《こう》に捕《つか》まえてくれって言《い》うようなもんだ」

「だめですか？」

「やったら、きっと捕《つか》まってたね」

「だけど、空《から》のかばんを川《かわ》に落《お》とすってアイディアはつかえるぜ」

中尾《なかお》が言《い》った。

「みなさんがそんなことをしたら罪《つみ》になります。私《わたし》のことは、考《かんが》えてくださらなくても、なんとかやりますから。どうか、そういう危《あぶ》ないことはやめてください」

田中《たなか》は、相原《あいはら》にすがりつくように言《い》った。

「おれたちはそんなドジはやらねえから、まあ黙《だま》って見《み》てなよ」

「私《わたし》は、どうしたらいいんでしょうか？」

田中《たなか》は瀬川《せがわ》に聞《き》いた。瀬川《せがわ》は、

「やりたいようにやらせるさ。みんな楽《たの》しそうな顔《かお》してるじゃねえか」

と言《い》ってから、ぼそぼそとつぶやいた。

「しかし、子《こ》どもってのは不思議《ふしぎ》な生《い》きものだねぇ」

五日《いつか》　迎撃《げいげき》

1

柿沼靖樹《かきぬまやすき》は、スタミナをつけることに異常《いじょう》とも思《おも》える努力《どりょく》をつづけている。そのためには、医《い》者《しゃ》として考《かんが》えられる、あらゆる方法《ほうほう》を実行《じっこう》している。

早寝早起《はやねはやお》き、荒川河川敷《あらかわかせんしき》のジョギングもその一《ひと》つである。直樹《なおき》が誘拐《ゆうかい》されてからは、さすがにそれどころではなく、睡眠薬《すいみんやく》で眠《ねむ》る始末《しまつ》だったが、それでも目《め》だけは朝早《あさはや》くから覚《さ》めてしまう。

その朝《あさ》も、六時《ろくじ》に起床《きしょう》して、郵便受《ゆうびんう》けに新聞《しんぶん》をとりに行《い》った。新聞《しんぶん》の束《たば》をかかえてもどろうとしたとき、郵便受《ゆうびんう》けの底《そこ》に茶封筒《ちゃぶうとう》があることに気《き》づいた。

こんなに朝早《あさはや》くから郵便《ゆうびん》がくるはずはない。靖《やす》樹《き》は封筒《ふうとう》を取《と》り上《あ》げた。切手《きって》は貼《は》ってなく、ただ柿沼靖樹様《かきぬまやすきさま》とだけあった。裏《うら》をかえしてみると、柿沼直樹《かきぬまなおき》とある。まちがいない直樹《なおき》の字《じ》だ。

靖樹《やすき》は、夢中《むちゅう》で封筒《ふうとう》を破《やぶ》いた。中《なか》からカセットテープが出《で》てきた。ほかには何《なに》もない。それを持《も》って、ころげこむようにして寝室《しんしつ》にもどった。

「奈津子《なつこ》、奈津子《なつこ》。起《お》きなさい」

靖樹《やすき》は、まだ眠《ねむ》っている妻《つま》を乱暴《らんぼう》に揺《ゆ》さぶった。

「直樹《なおき》からだよ」

直樹《なおき》と言《い》ったとたん、奈津子《なつこ》はぱっと目《め》を見開《みひら》いて、ベッドから起《お》き上《あ》がった。靖樹《やすき》はカセットをテープレコーダーにセットした。

『お父《とう》さん、お母《かあ》さん、直樹《なおき》です』

見《み》る間《ま》に、奈津子《なつこ》の顔《かお》がくしゃくしゃに崩《くず》れた。

「直樹《なおき》。生《い》きてたのね、生《い》きてたのね」

「黙《だま》って聞《き》きなさい」

『ぼくは、いまのところ無事《ぶじ》です。けれど、こんど身代金《みのしろきん》が受《う》け取《と》れなかったら、ぼくをバラバラにして、荒川《あらかわ》に流《なが》すとおじさんはとても怒《おこ》っています』
奈津子《なつこ》は両手《りょうて》で顔《かお》を蔽《おお》った。
『きのう、おじさんがなぜソレイユに連絡《れんらく》しなかったかというと、まわりが警官《けいかん》でいっぱいだったからです。あれではとてもだめです。どうしてあんなことしたのですか？
では、これから身代金《みのしろきん》をわたす方法《ほうほう》を言《い》いますから、こんどは失敗《しっぱい》しないでください。

十一時《じゅういちじ》になったら、往診《おうしん》に行《い》くと言《い》って家《いえ》を出《で》るのです。そのとき、きっと警察《けいさつ》が尾行《びこう》をつけるでしょうが、それはかまいません。

まず、銀座《ぎんざ》のM《エム》百貨店《ひゃっかてん》に行《い》きます。そこの一階《いっかい》にかばん売場《うりば》がありますから、M《エム》社製《しゃせい》のアタッシェケースを買《か》ってください。色《いろ》は黒《くろ》で、値段《ねだん》は一万円《いちまんえん》です。それに、千七百万円《せんななひゃくまんえん》を入《い》れ、つぎに築地《つきじ》のT《ティー》ホテルに行《い》ってください。

ホテルに到着《とうちゃく》する時刻《じこく》は一時《いちじ》です。ロビーで待《ま》っていると、栗原《くりはら》という名前《なまえ》で呼《よ》び出《だ》しがありますから、電話《でんわ》に出《で》てください。それからのことは、電話《でんわ》でおしえるそうです。お金《かね》がおじさんの手《て》に入《はい》り次第《しだい》、ぼくは解放《かいほう》されます。殺《ころ》されることはけっしてありませんからご安心《あんしん》ください。ただし、手《て》に入《はい》らなければバラバラです。ぼくは死《し》ぬのはいやです。どうか、うまくやってください。おねがいです。このテープ、警察《けいさつ》には秘密《ひみつ》です』

テープはそこで終《お》わった。

「直《なお》ちゃん大丈夫《だいじょうぶ》よ。きっと助《たす》けてあげるからね」

奈津子《なつこ》はもう涙声《なみだごえ》である。

「直樹《なおき》のやつ、犯人《はんにん》に言《い》わされているんだな。かわいそうに」

「警察《けいさつ》に話《はな》すの？」

「言《い》うもんか」

「そうよね。こんど失敗《しっぱい》したら、直樹《なおき》の命《いのち》はないものね」

「千七百万円《せんななひゃくまんえん》くらい、直樹《なおき》の命《いのち》にはかえられんよ」

「警察《けいさつ》は、ホテルまで尾行《びこう》してくるかしら」

「もちろんさ」

「断《ことわ》るわけにはいかないの？」

「つけてくるなと言《い》えば、つけないと言《い》うだろう。しかし、こっそりつけてくるさ」

「大体《だいたい》、警察《けいさつ》に話《はな》したのが失敗《しっぱい》だったわね。最初《さいしょ》から、犯人《はんにん》と直接取《ちょくせつと》り引《ひ》きすればよかったのよ」

奈津子《なつこ》は、口惜《くや》しそうに身《み》をよじった。

「向《む》こうは、警察《けいさつ》の尾行《びこう》は計算《けいさん》ずみのようだから、なんとかうまくやってくれるだろう」

「犯人《はんにん》がうまくやってくれるなんて、おかしな話《はなし》。でも、この犯人《はんにん》、頭《あたま》はよさそうね」

「大学出《だいがくで》のインテリというところかな」

「千七百万円《せんななひゃくまんえん》で直樹《なおき》の命《いのち》が助《たす》かれば、言《い》うことないじゃない？」

「うむ。しかしこの金額《きんがく》には、何《なに》か意味《いみ》がありそうだな」

靖樹《やすき》は、しきりに首《くび》をひねった。

「もしかしたら、うちで手術《しゅじゅつ》を失敗《しっぱい》した人《ひと》が、恨《うら》みでやったんじゃないかしら」

「それも考《かんが》えているんだが、患者《かんじゃ》が多過《おおす》ぎてちょっと見当《けんとう》もつかん」

「とにかく、この犯人《はんにん》は良心的《りょうしんてき》よ」

「良心的《りょうしんてき》な誘拐犯人《ゆうかいはんにん》なんているかな」

靖樹《やすき》の表情《ひょうじょう》は、依然《いぜん》として、霧《きり》がかかったみたいにはっきりしなかった。

『こちらナンバー33。ナンバー6は元気《げんき》ですか?

どうぞ』

純子《じゅんこ》の声《こえ》だ。相原《あいはら》は、トランシーバーを柿沼《かきぬま》にわたした。

「こちらナンバー6。きのうはどうもありがとう。

元気《げんき》だよーん」

『どういたしまして』

純子《じゅんこ》は、柄《がら》にもない言《い》い方《かた》をした。お礼《れい》を言《い》われて、照《て》れているにちがいない。

「テープ、どうだった？」

『私《わたし》、行《い》って見《み》てたんだけど、六時《ろくじ》に、柿沼君《かきぬまくん》のパパが自分《じぶん》で新聞《しんぶん》を取《と》りにやってきて、たしかに、テープを持《も》ってったわよ。もう聞《き》き終《お》わったでしょう』

「よし、うまくいったぞ」

『ほんとに、奪《と》っちゃうつもり？』

「そうさ。十一時《じゅういちじ》に家《いえ》を出《で》たら連絡《れんらく》してくれよ」

『つけなくていいの？』

「ポリ公《こう》がつけるから、放《ほう》っといた方《ほう》がいい」

『ヤバイじゃん』

「わざとポリ公《こう》につけさすのさ」

『どうして？』

「ポリ公《こう》が見《み》ている前《まえ》で、千七百万円《せんななひゃくまんえん》をいただいちゃうのさ」

『そんなことできるの？』

「できるさ。それをみんなで考《かんが》えたんだ」

『うまくいくかな？』

「いくさ。そっちはいいとして、校長《こうちょう》は十時《じゅうじ》にくるんだろうな」

『私《わたし》たちが帰《かえ》ってきたんだから、ほんとはそこへ行《い》く必要《ひつよう》はなくなったんだけど、やっぱり、どんな具合《ぐあい》か見《み》たいらしいよ』

「こっちも、ぜひきてもらいたいんだ。いま歓迎《かんげい》の幕《まく》をつくってるところさ」

『迷路《めいろ》、完成《かんせい》したの？』

「したさ。校長《こうちょう》が中《なか》に入《はい》ったら、おれたちは上《うえ》から見物《けんぶつ》さ。出《で》てきたときはどんなかっこうになるか……。おもしろいぜ」

『つまんない。私《わたし》たちにも見《み》せてぇ』

「それは無理《むり》な相談《そうだん》だな。じゃ、バイバイ」

相原《あいはら》は、冷《つめ》たく突《つ》き放《はな》してトランシーバーを切《き》った。

非常階段《ひじょうかいだん》まで出《で》ると、広場《ひろば》にテントの切《き》れは

しをひろげて、それに秋元《あきもと》が、工場《こうじょう》にあった使《つか》い古《ふる》しの赤《あか》ペンキで、

〝解放区《かいほうく》へようこそ〟

と書《か》いているところだった。秋元《あきもと》は勉強《べんきょう》の方《ほう》はからきしだが、将来《しょうらい》グラフィックデザイナーになるのだと言《い》っているくらいだから、こういうでかい字《じ》を書《か》かせるとすばらしい。英治《えいじ》は思《おも》わず、

「うまいなあ」と言《い》ってしまった。

広場《ひろば》までおりると、見張《みは》り台《だい》の日比野《ひびの》が、

「女《おんな》が三人《さんにん》こっちにやってくるぞ。あれはセン公《こう》じゃない。だれかのおふくろだぞ」

と言《い》った。

「だれのおふくろだ？　早《はや》く言《い》えよ」

「肥《ふと》ったのは宇野《うの》のおふくろだ。眼鏡《めがね》をかけてるのは吉村《よしむら》だな。もう一人《ひとり》は……。あ、おれのおふくろだ」

みんなが笑《わら》った。

「宇野《うの》と吉村《よしむら》、見張《みは》り台《だい》に上《あ》がれ」

相原《あいはら》は、言《い》いながら自分《じぶん》も見張《みは》り台《だい》に上《あ》がった。

「ぼくちゃん元気《げんき》？」

宇野《うの》の母親《ははおや》千佳子《ちかこ》が言《い》った。

「元気《げんき》さ。見《み》ればわかるだろう」

「もう五日目《いつかめ》よ。うちに帰《かえ》りたくならない？」

「ならないね」

「そこで、なに食《た》べてるの？」

「いろいろさ」

「変《へん》なもの食《た》べてるんでしょう？　おなかこわさ

ない？」

「こわさないよ」

宇野《うの》は、いかにも面倒《めんどう》くさそうに答《こた》えている。

「ママ心配《しんぱい》だわ。ぼくちゃんがいなくなってから、全然食欲《ぜんぜんしょくよく》がないの」

「それにしちゃ、全然《ぜんぜん》痩《や》せないじゃんか」

みんなが笑《わら》った。

「ひどいこと言《い》うわね。私《わたし》たちをそこに入《い》れてくれないかしら。そうしたら、みんなの好《す》きなものをつくってあげるわよ」

好《す》きなものと聞《き》いたとたん、英治《えいじ》は無意識《むいしき》につばを呑《の》みこんでしまった。そういえば、ステーキなんてわるくないな。

「おれたちは、遊《あそ》びでやってるんじゃないんだぜ」

宇野《うの》は、ずいぶんかっこういいことを言《い》う。

「朗君《あきらくん》、勉強《べんきょう》はやってる？」

日比野《ひびの》の母親《ははおや》邦江《くにえ》が言《い》った。

「勉強《べんきょう》なんてやれるわけねえだろう。参考書《さんこうしょ》もないんだし」

「そう思《おも》って参考書《さんこうしょ》を持《も》ってきたのよ。ほら、あげるから手《て》を伸《の》ばしなさい」

邦江《くにえ》は、本《ほん》を数冊《すうさつ》手《て》に持《も》って高《たか》く差《さ》し上《あ》げた。

「ここをどこだと思《おも》ってんの？　解放区《かいほうく》だぜ」

「だから、どうしたっていうの？」

「解放区《かいほうく》ってのはね、勉強《べんきょう》からも解放《かいほう》されるところさ」

「勉強《べんきょう》から解放《かいほう》されるって、あなた中学生《ちゅうがくせい》よ。中《ちゅう》学生《がくせい》から勉強《べんきょう》を取《と》ったら何《なに》が残《のこ》るの？」

邦江《くにえ》の声《こえ》が、ヒステリックにふるえた。

「何《なに》が残《のこ》るって、ちゃんと手《て》も足《あし》も顔《かお》も残《のこ》ってるじゃんか。どこがちがってるっていうの？ 言《い》ってみなよ」

「中味《なかみ》よ。もうあなたはむかしの朗《あきら》じゃない」

「そりゃそうさ。おれはもう、いい点数《てんすう》とって、いい子《こ》、いい子《こ》されて喜《よろこ》ぶような人間《にんげん》から変身《へんしん》したんだ」

「それ、どういうこと？　あなた、もう勉強《べんきょう》はしないっていうの？」

「すぐ、そうかっかする。おれはもう、ママのリモコンはごめんだって言《い》ってるのさ。では、おれはこれで終《お》わり。つぎは吉村《よしむら》の番《ばん》」

「賢《けん》ちゃん、お父《とう》さんがとっても困《こま》ってらっしゃるわ。あなたにもわかるでしょう？」

吉村《よしむら》の家《いえ》は、両親《りょうしん》とも教師《きょうし》である。母親美也子《ははおやみやこ》の話《はな》し方《かた》が、どうしても先生《せんせい》くささが抜《ぬ》けないのは、しかたないのかもしれない。

「自分《じぶん》が中学《ちゅうがく》の先生《せんせい》だからっていうんだろう？」

「そうよ」

「だって、学校《がっこう》はちがうんだし、関係《かんけい》ないじゃんか」

「そうはいかないわよ。自分《じぶん》の子《こ》どもがこんなふうになっちゃったんじゃ、もう他人様《ひとさま》の子《こ》どもは教《おし》えられないって悩《なや》んでらっしゃるわ」

「こんなふうになっちゃったって……。おれたちは、何《なに》もわるいことしてるんじゃないんだぜ。わるいのはおとなの方《ほう》じゃんか」

「子《こ》どもというものはね……」

「お説教《せっきょう》はもうたくさん。それより、おやじは悩《なや》んでるんなら、どうしてここへこないんだ？」

「そりゃ、ここへはこれないわよ。体面《たいめん》というものもあるし……」

「たいしてえらくもねえくせに、すぐかっこうつけたがる。おやじのそういうところが嫌《きら》いなんだよ」

「賢一《けんいち》、あなたはいままで一度《いちど》だって、そんな過《か》激《げき》な言《い》い方《かた》をしたことないわ。いったいどうしたっていうの？」

「ここは解放区《かいほうく》だから、言《い》いたいことを言《い》っただけさ。第一《だいいち》、ここへこなかったら、地獄《じごく》の特訓《とっくん》に行《い》かされるとこだったじゃねえか」

「あなたがそんなにいやだったら、それはしなくてもいいわ」

「あったりまえさ」

「おねがいだから、そんな乱暴《らんぼう》な言葉《ことば》をつかうのよして。ママ気《き》が狂《くる》いそうよ」

「気《き》はもうとっくに狂《くる》ってるじゃんか」

「あなた、なんてこと言《い》うの？」

「いいかい、おれはもともと開成《かいせい》なんかへ行《い》ける頭《あたま》じゃねえんだ。それを自分《じぶん》たちの見栄《みえ》から行《い》かそうとして、小《ちい》さいときから尻《けつ》ばかり引《ひ》っぱたいてたじゃねえか。その挙句《あげく》、おれが落《お》っこちりゃ、『あんただめねえ』だ」

「ごめんなさい。それは反省《はんせい》してるわ」

「反省《はんせい》してるなら差《さ》し入《い》れ持《も》ってきたか？」

「なにが差《さ》し入《い》れよ。そんなことしてると警察《けいさつ》がくるわよ」

「きたけりゃどうぞ。歓迎《かんげい》してやるぜ」

「話《はなし》にならないわ」

美也子《みやこ》は天《てん》を仰《あお》いだ。

「これは病気《びょうき》だわ。ええきっとそうよ。お医者《いしゃ》さまを呼《よ》んだ方《ほう》がいいんじゃないかしら」

千佳子《ちかこ》が言《い》った。

「私《わたし》たちでは、どうにもならないわよ。帰《かえ》りましょう」

邦江《くにえ》は、二人《ふたり》をうながして帰《かえ》って行《い》った。

「書《か》き終《お》わったぞ」

それまで、一人《ひとり》だけ横断幕《おうだんまく》の字《じ》を書《か》いていた秋《あき》元《もと》が立《た》ち上《あ》がった。

「うまいもんだなあ」

相原《あいはら》が、見張《みは》り台《だい》の上《うえ》から感心《かんしん》したように言《い》った。

「〃解放区《かいほうく》へようこそ〃」

英治《えいじ》は、右手《みぎて》を前《まえ》に差《さ》し出《だ》してお辞儀《じぎ》した。これは、いつだったか芝居《しばい》で見《み》たポーズである。

そのとたん、みんながわっと幕《まく》にとびつき、それをかついで「わっしょい、わっしょい」とまわり出《だ》した。

右《みぎ》にまわったかと思《おも》うと左《ひだり》にまわり、めちゃくちゃに早《はや》くなったり、おそくなったり、突然《とつぜん》、何《なに》ものかにとり憑《つ》かれたみたいに、子《こ》どもたちは、

その行為《こうい》に夢中《むちゅう》になった。

真夏《まなつ》の強《つよ》い日差《ひざ》しが、地面《じめん》に乱舞《らんぶ》する影《かげ》をくっきりと映《うつ》し出《だ》した。笑《わら》い、さんざめく声《こえ》は広場《ひろば》に満《み》ち、青《あお》く高《たか》い空《そら》に吸《す》いこまれてゆく。

この瞬間《しゅんかん》、子《こ》どもたちはすべてから解放《かいほう》されていた。

2

午前《ごぜん》九時《じ》。

校長《こうちょう》の榎本《えのもと》の家《いえ》には、教頭《きょうとう》の丹羽《にわ》、生活指導《せいかつしどう》主任《しゅにん》の野沢《のざわ》、担任《たんにん》の八代《やしろ》、それと体育《たいいく》の酒井《さかい》の四人《にん》が集《あつ》まっていた。

「やはり、どうしても行《い》かれますか？」

「行《い》く」

榎本《えのもと》は丹羽《にわ》を見上《みあ》げて、ぶっきら棒《ぼう》に言《い》った。

丹羽《にわ》と話《はな》すときは、いつも見下《みお》ろされているような感《かん》じだ。これは、肉体《にくたい》の構造上《こうぞうじょう》の問題《もんだい》だから、しかたないとは思《おも》うものの、神経《しんけい》が苛立《いらだ》っているときは、それが無性《むしょう》に腹《はら》が立《た》つのだ。
「あの連中《れんちゅう》の中《なか》に、一人《ひとり》で入《はい》って行《い》かれるのは危《き》険《けん》です」
「いいじゃないか。これで殉職《じゅんしょく》するなら、教師《きょうし》として本望《ほんもう》だ」
〽勝《か》ってくるぞと勇《いさ》ましく
誓《ちか》って国《くに》を出《で》たからは
手柄《てがら》立《た》てずに死《し》なれよか

進軍《しんぐん》ラッパ聞《き》くたびに
まぶたに浮《う》かぶ旗《はた》の波《なみ》
榎本《えのもと》は、こういうとき必《かなら》ず、子《こ》どものころ歌《うた》った軍歌《ぐんか》を歌《うた》いたくなる。これを歌《うた》うと悲壮感《ひそうかん》に酔《よ》えるのだ。しかし、いまは声《こえ》に出《だ》して歌《うた》うことを我慢《がまん》した。
「それでは、私《わたし》におともさせてください」
酒井《さかい》が言《い》った。
「いや、こんどは私《わたし》が行《い》きます」

野沢《のざわ》が言《い》った。つづけて八代《やしろ》も、

「私《わたし》も……。担任《たんにん》ですから」

「酒井君《さかいくん》は標的《ひょうてき》にされておるようだから、野沢君《のざわくん》と八代君《やしろくん》にしよう」

榎本《えのもと》は丹羽《にわ》の顔《かお》を見《み》た。丹羽《にわ》がうなずくと、

「奴《やつ》らを子《こ》どもと思《おも》ってはいかん。狂気《きょうき》の過激派《かげきは》集団《しゅうだん》だ。二人《ふたり》とも、校長先生《こうちょうせんせい》を死守《ししゅ》してもらいたい」

「それなら、私《わたし》の方《ほう》が適任《てきにん》じゃありませんか」

と酒井《さかい》が言《い》った。

「それはわかっとるが、この際《さい》、騒《さわ》ぎをあまり大《おお》きくしたくないのだ」

「酒井君《さかいくん》、君《きみ》もわかっているだろうが、うちも三《さん》年前《ねんまえ》までは、都内《とない》でも有名《ゆうめい》な非行中学《ひこうちゅうがく》だった。校内暴力《こうないぼうりょく》、シンナー、登校拒否《とうこうきょひ》、不純異性交遊《ふじゅんいせいこうゆう》……。悪《あく》と名《な》のつくもので、ないものはなかった」

丹羽《にわ》が、ちらりと見《み》たので榎本《えのもと》はうなずいて見《み》せた。

「私《わたし》が赴任《ふにん》したのが三年前《さんねんまえ》でしたが、これが学校《がっこう》かと思《おも》いました」

酒井《さかい》が言《い》った。

「そのひどい学校《がっこう》を、曲《ま》がりなりにも都内有数《とないゆうすう》の模範校《もはんこう》にしたノウハウは何《なに》かとよく聞《き》かれるんだが、そういうときは、信念《しんねん》をもって厳《きび》しくしつけることだと言《い》うことにしとるんだ」

榎本《えのもと》が言《い》うと、丹羽《にわ》が大《おお》きくうなずいた。

「そんなことは、教育者《きょういくしゃ》ならだれでもわかっとるが、実際《じっさい》にはうまくいかん。なぜだと思《おも》うかね？」

榎本《えのもと》は、八代《やしろ》の顔《かお》を見《み》た。

「いいえ、わかりません」

「みんなうまくいかんのは、子《こ》どもを人間《にんげん》と思《おも》っとるからだ。奴《やつ》らは動物《どうぶつ》と思《おも》えばいいんだ。犬《いぬ》や馬《うま》を調教《ちょうきょう》するように、鞭《むち》で仕込《しこ》めば必《かなら》ずうまくゆく。これが秘伝《ひでん》だ。君《きみ》たちもよく頭《あたま》に入《い》れておきたまえ」

「校長先生《こうちょうせんせい》は赴任《ふにん》してこられてから三年間《さんねんかん》で、

都内有数《とないゆうすう》の模範校《もはんこう》に変《か》えられたのだ。これは奇《き》跡《せき》としか言《い》いようがない」

丹羽《にわ》の奴《やつ》うまいことを言《い》う。榎本《えのもと》は軽《かる》くうなずいてから、

「そのかわり、管理《かんり》教育《きょういく》だといって、マスコミや左翼《さよく》の教育学者《きょういくがくしゃ》にぶっ叩《たた》かれたもんだ」

「管理《かんり》教育《きょういく》のどこがわるいんですか。鉄《てつ》は熱《あつ》いうちに叩《たた》けです」

教養《きょうよう》のない酒井《さかい》が言《い》った。

「大体《だいたい》、親《おや》も勝手《かって》ですよ。家庭《かてい》のしつけなんてものは皆無《かいむ》。まるで狼少年《おおかみしょうねん》みたいなガキを学校《がっこう》に送《おく》りこんでおいて、まともにならなきゃ教師《きょうし》の責任《せきにん》とくるんですからね。そのくせ、厳《きび》しくやれば管理教育《かんりきょういく》。じゃあ、どうしろと言《い》うんですか?」

野沢《のざわ》はテーブルをたたいた。コーヒーがもう少《すこ》しでこぼれるところだった。

「君《きみ》の言《い》うとおりだ。だから教師《きょうし》たる者《もの》は、雑音《ざつおん》に惑《まど》わされない情熱《じょうねつ》と信念《しんねん》が必要《ひつよう》なのだ。ところが、信念《しんねん》をもって行動《こうどう》しようとすると、必《かなら》ずリアクションがある。こんどのことも、それが原因《げんいん》ではないかと思《おも》っとるんだ」

「さすが校長先生《こうちょうせんせい》、達見《たっけん》です。いいですか、先《せん》生方《せいがた》」

丹羽《にわ》は三人《さんにん》の顔《かお》を見《み》わたした。

「そうであればあるほど、われわれは、この輝《かがや》かしき校長先生《こうちょうせんせい》の経歴《けいれき》を、汚《けが》してはならんと思《おも》うのです。それだけは、どんなことをしても防《ふせ》ごうじゃありませんか」

「それはわかっています。ですから私《わたし》は、先日《せんじつ》あ
あいう行動《こうどう》に出《で》たのですが、それがかえって裏目《うらめ》
に出《で》て、マスコミの笑《わら》いものになりました。申《もう》し
わけありません」

酒井《さかい》は、興奮《こうふん》すると太《ふと》い腕《うで》を振《ふ》りまわすので、
危《あぶ》なくてかなわない。

「君《きみ》の気持《きも》ちはよくわかっている。あれは不運《ふうん》な
出来事《できごと》だった」

「不運《ふうん》なではすまされません。私《わたし》は自分《じぶん》が納得《なっとく》いくように、奴《やつ》らに必《かなら》ずオトシマエをつけてやるつもりです」

「酒井君《さかいくん》、教師《きょうし》はヤクザじゃないんだ。言葉《ことば》をつつしみたまえ」

榎本《えのもと》は、口《くち》とは裏腹《うらはら》に、酒井《さかい》を鉄砲玉《てっぽうだま》にして、何《なに》かできないかと考《かんが》えていた。この男《おとこ》はよく言《い》えば、直情径行《ちょくじょうけいこう》。わるく言《い》えば単細胞《たんさいぼう》だ。おだてりゃ、豚《ぶた》でも木《き》に登《のぼ》るというが、この男《おとこ》なら、なんでもやるにちがいない。

「子《こ》どもというものは、きびしい管理《かんり》があって、はじめて正常《せいじょう》に育《そだ》つものだと思《おも》います。ただし、これは教師《きょうし》と父兄《ふけい》との両方《りょうほう》が協力《きょうりょく》し合《あ》わなくては不可能《ふかのう》です。この三年間《さんねんかん》は、それがうまくいきました。だから生徒《せいと》も正常《せいじょう》だったのです」

野沢《のざわ》も、生活指導主任《せいかつしどうしゅにん》として、実《じつ》によく働《はたら》いた。

「ところが、ことしの一年生《いちねんせい》は、親《おや》の方《ほう》がいままでとはちがうという気《き》がしてならないのです」

「それは言《い》えますね」

八代《やしろ》が野沢《のざわ》に同調《どうちょう》した。

「それはなぜかね？」

榎本《えのもと》には初耳《はつみみ》だった。

「全共闘世代《ぜんきょうとうせだい》の子《こ》どもたちが、ことしから中学《ちゅうがく》へ入《はい》りはじめたのです。解放区《かいほうく》などという言葉《ことば》は、親《おや》の影響《えいきょう》抜《ぬ》きでは考《かんが》えられません」

「実際《じっさい》、あの生徒《せいと》たちの親《おや》にいるのかね？」

「おります。父親《ちちおや》の方《ほう》はまだ一人《ひとり》ですが、母親《ははおや》の大学卒《だいがくそつ》が十人《じゅうにん》で、そのすべてがそうです」

八代《やしろ》が言《い》った。

「しかし全共闘世代《ぜんきょうとうせだい》といったって、わが子《こ》に、自分《じぶん》たちと同《おな》じ道《みち》を歩《あゆ》ませたい、と考《かんが》えている親《おや》はいないだろう。まして母親《ははおや》だったら、エリートの道《みち》を選《えら》ばせたいと考《かんが》えるのが常識《じょうしき》じゃないのか」

丹羽《にわ》が言《い》った。

「大半《たいはん》の親《おや》はたしかに、教頭先生《きょうとうせんせい》のおっしゃられるように考《かんが》えるのが普通《ふつう》だと思《おも》います。しかし、その中《なか》に一人《ひとり》でも煽動者《せんどうしゃ》がいれば、子《こ》どもたちはそれに乗《の》せられるでしょう。なんといっても、管《かん》理《り》に対《たい》して解放《かいほう》は、あまい蜜《みつ》みたいなものですから」

「野沢君《のざわくん》の意見《いけん》はおもしろい。もし、こんどのことが、子《こ》どもたちの叛乱《はんらん》の萌芽《ほうが》だとしたら、これは単《たん》なる教育問題《きょういくもんだい》というより、由々《ゆゆ》しき社会問《しゃかいもん》題《だい》だ」

「そうです。こんどのことは、そういうふうに捉《とら》

える べきだと思《おも》います」

野沢《のざわ》にくらべ、理論構成《りろんこうせい》のできない酒井《さかい》は、そうなんだというように、何度《なんど》も大《おお》きくうなずいた。

「では、われわれの取《と》るべき道《みち》は？」

榎本《えのもと》は、四人《よにん》の顔《かお》を順《じゅん》に見《み》た。

「もちろん、なんの痕跡《こんせき》も残《のこ》さぬまでに、徹底的《てっていてき》に抹殺《まっさつ》してしまうことです。これはガン細胞《さいぼう》と同《おな》じです。増殖《ぞうしょく》したら手《て》がつけられなくなって、国《くに》を滅《ほろ》ぼすことになります。幸《さいわ》い、いまなら、切《せっ》除《じょ》すればまだ間《ま》に合《あ》います」

野沢《のざわ》の言《い》い方《かた》はかなりオーバーだが、これは教《きょう》育委員会《いくいいんかい》で、校長《こうちょう》の責任《せきにん》を追及《ついきゅう》されたとき、つかえる手《て》だと榎本《えのもと》は思《おも》った。

「とにかく、私《わたし》ら三人《にん》は解放区《かいほうく》へ出《で》かけて、子《こ》どもたちの出方《でかた》を見《み》よう。まさか、むかしの全共《ぜんきょう》闘《とう》みたいに、軟禁《なんきん》するということもなかろう」

榎本《えのもと》は、胸《むね》の底《そこ》にくすぶっている不安《ふあん》を、かき消《け》すように大声《おおごえ》で言《い》った。

この作品《さくひん》は、1985年《ねん》4月《がつ》、角川文庫《かどかわぶんこ》から刊行《かんこう》された『ぼくらの七日間戦争《なのかかんせんそう》』をもとに、漢字《かんじ》にふりがなをふり、一部《いちぶ》を書《か》きかえて読《よ》みやすくしたものです。

❸/3へつづく。

全共闘《ぜんきょうとう》について

1968～1969年《ねん》にかけて、全国的《ぜんこくてき》に広《ひろ》がった学生運動《がくせいうんどう》。大学生《だいがくせい》が学生生活《がくせいせいかつ》や政治《せいじ》に対《たい》して、問題提起《もんだいていき》や社会運動《しゃかいうんどう》を行《おこな》いました。

著者《ちょしゃ》の宗田理《そうだおさむ》さんがポプラ社版《しゃばん》『ぼくらの七日《なのか》間戦争《かんせんそう》』あとがきで、以下《いか》のように書《か》いています。

……大学闘争《だいがくとうそう》があり、東大《とうだい》、日大《にちだい》を中心《ちゅうしん》とする全共闘運動《ぜんきょうとううんどう》は、1969年《ねん》1月《がつ》の東大安田《とうだいやすだ》講堂攻防戦《こうどうこうぼうせん》にいたって、一挙《いっきょ》に頂点《ちょうてん》に登《のぼ》りつめた。英治《えいじ》や相原《あいはら》はその世代《せだい》の二世《にせい》にあたる。あのころ権力《けんりょく》に立《た》ち向《む》かった、親《おや》たちの青春《せいしゅん》時代《じだい》はかっこうよかった。

しかし、今《いま》はどうだろう。

あんなにも燃《も》えた青年《せいねん》たちは、自分《じぶん》の子《こ》どもを育《そだ》てるようになると、若《わか》いころの情熱《じょうねつ》はすっかり影《かげ》をひそめ、体制《たいせい》に組《く》み込《こ》まれ、高度成長《こうどうせいちょう》の波《なみ》に乗《の》った。全共闘運動《ぜんきょうとううんどう》はまるで

――過《す》ぎてしまったインフルエンザみたいに、あるいは悪夢《あくむ》みたいに忘れられていった。……――

『ぼくらの七日間戦争《なのかかんせんそう》』は、その後《ご》、映画化《えいがか》やアニメ化《か》などがされて、子《こ》どもたちを中心《ちゅうしん》に長《なが》く読《よ》みつがれています。すでに全共闘《ぜんきょうとう》などの学生運動《がくせいうんどう》はありませんが、時代《じだい》をこえ、子《こ》どもたちの立場《たちば》から見《み》た大人《おとな》たち、そして社会《しゃかい》の姿《すがた》を描《えが》いた作品《さくひん》として、これからも読《よ》みつがれていく作品《さくひん》だと思《おも》います。

体育祭《たいいくさい》』『ぼくらの太平洋戦争《たいへいようせんそう》』『ぼくらの一日校長《いちにちこうちょう》』『ぼくらのいたずらバトル』『ぼくらの㊙学園祭《マルひがくえんさい》』『ぼくらの無人島《むじんとう》戦争《せんそう》』『ぼくらのハイジャック戦争《せんそう》』『ぼくらの消《き》えた学校《がっこう》』『ぼくらの卒業《そつぎょう》いたずら大作戦《だいさくせん》　上《じょう》下《げ》』『ぼくらの大脱走《だいだっそう》』『ぼくらのミステリー列車《れっしゃ》』『ぼくらの地下迷路《ちかめいろ》』『ぼくらのオンライン戦争《せんそう》』『ぼくらの東京革命《とうきょうかくめい》』（角川《かどかわ》つばさ文庫《ぶんこ》）など。

はしもとしん／絵《え》

和歌山県生《わかやまけんう》まれ。角川《かどかわ》つばさ文庫《ぶんこ》「ぼくら」「2A《エー》」シリーズのイラストを担当《たんとう》。

宗田《そうだ》　理《おさむ》／作《さく》

東京都《とうきょうと》生《う》まれ、少年期《しょうねんき》を愛知県《あいちけん》ですごす。『ぼくらの七日間戦争《なのかかんせんそう》』をはじめとする「ぼくら」シリーズは中高生《ちゅうこうせい》を中心《ちゅうしん》に圧倒的人気《あっとうてきにんき》を呼《よ》び大《だい》ベストセラーに。

著作《ちょさく》に『ぼくらの天使《てんし》ゲーム』『ぼくらの大冒険《だいぼうけん》』『ぼくらと七人《しちにん》の盗賊《とうぞく》たち』『ぼくらの学校戦争《がっこうせんそう》』『ぼくらのデスゲーム』『ぼくらの南《みなみ》の島戦争《しませんそう》』『ぼくらの㋳バイト作戦《さくせん》』『ぼくらのC計画《クリーンけいかく》』『ぼくらの怪盗戦争《かいとうせんそう》』『ぼくらの(黒)《ブラック》会社戦争《かいしゃせんそう》』『ぼくらの修学旅行《しゅうがくりょこう》』『ぼくらのテーマパーク決戦《けっせん》』『ぼくらの

大きな文字の角川つばさ文庫

ぼくらの七日間戦争 ❷/3

宗田 理・作

はしもとしん・絵

2024年3月1日初版発行

［発行所］

有限会社 読書工房

〒171-0031

東京都豊島区目白2-18-15

目白コンコルド115

電話：03-6914-0960

ファックス：03-6914-0961

Eメール：info@d-kobo.jp

https://www.d-kobo.jp/

［印刷・製本］

セルン株式会社

ISBN978-4-902666-3?-?　N.D.C. 913　360p　21cm